Farbbild-Wanderungen durch das BRANDENBURGER LAND
Pictorial Tour through the Land of BRANDENBURG
Voyage à travers le BRANDEBOURG

Farbbild-Wanderungen durch
BRANDENBURG

Denkmal des Theodor Fontane

ZⱯP ZIETHEN-PANORAMA VERLAG

Farbbild-Reise durch Brandenburg und Berlin

„Ich bin durch die Mark gezogen und habe sie reicher gefunden, als ich zu hoffen gewagt hatte. Jeder Fußbreit Erde belebte sich und gab Gestalten heraus, ... ein Reichtum ist mir entgegengetreten, dem gegenüber ich das bestimmte Gefühl habe, seiner niemals auch nur annähernd Herr werden zu können"   (Theodor Fontane, 1861).

Willkommen in Brandenburg und Berlin!
Von des „Heiligen Römischen Reiches Streusandbüchse" ist oft die Rede, „märkische Heide und märkischer Sand" werden zitiert, wenn es um Brandenburg, die alte Mark der Kurfürsten zwischen Elbe und Oder geht. Natürlich gibt es in Brandenburg die einsamen Heidelandschaften, die sandigen Böden, auf denen nur Kiefern gedeihen. Doch landschaftliche Langeweile, Eintönigkeit, mangelnde Abwechslung sind das Letzte, was man von Brandenburg behaupten kann, auch wenn das Relief dieses Landes keine aufregenden Höhen, keine tief eingeschnittenen Täler kennt. Acht touristische Regionen hat das Land. Von der Prignitz im Norden über das Ruppiner Land, die Uckermark und das Havelland spannt sich der Bogen zum Barnim, dem Gebiet von Oder-Spree-Dahme und dem Fläming und schließlich der Niederlausitz. Sie bescheren dem Besucher immer wieder wechselnde, manchmal aufregende, manchmal beschauliche Erlebnisse. Brandenburgs Landschaftsbilderbogen geht vom einzigartigen Wasserland des Spreewaldes im Süden bis in die Obstgärten des Havellandes, zieht sich vom Oderbruch im Osten bis in die Seenlandschaft um Rheinsberg oder Neuruppin.

Mittendrin in dieser Landschaft aus Heide und Wasser, aus Wäldern und Obstgärten liegt Berlin, die alte und inzwischen wieder neue Hauptstadt Deutschlands. Sie hat von allem etwas. Vor allem vom Wald und vom Wasser. Die Seen, die bis ins Stadtzentrum von Berlin hineinreichen, bescheren der deutschen Hauptstadt eine Küstenlinie, die länger ist als die berühmte Côte d'Azur.

Pictorial Tour through Brandenburg and Berlin

"I have roamed through Mark Brandenburg and have found it richer than I ever dared to expect. Every foot of earth came alive and summoned up characters... I was confronted with a wealth [of impressions] which left me with the distinct feeling that I would never master them..." (Theodor Fontane, 1861).

Welcome to Brandenburg and Berlin!
Outsiders have tended to be dismissive of Brandenburg, referring to it as the "Holy Roman Empire's sandbox". Yet the region of marches on the eastern border of Germany between the rivers Elbe and the Oder has far more to offer than just heath and silt. Of course there are remote moorlands here, sandy soil that supports little more than pinewoods, but no-one could describe Brandenburg as monotonous or lacking in variation, despite the fact that its contours display no dramatic heights and no deep-cut valleys. There are eight areas of interest to tourists, extending from Prignitz in the north through Ruppin, Ueckermark and Havelland to Barnim, the Oder-Spree-Dahme district and the Fläming, ending in Niederlausitz. They offer the visitor limitless encounters, some stimulating, some serene. Brandenburg's picture-book of landscapes ranges from the unique marshland of the Spree in the south to the Havel orchards in the north, from the Oderbruch in the east to the lakes of Rheinsberg or Neuruppin. In the midst of this landscape of heath and water, of woods, orchards and fertile land lies the old and in the meantime the new capital of Germany, Berlin. The city epitomizes all these aspects, above all woods and water. The lakes which extend far into the city centre of Berlin give the metropolis a shoreline longer than the famous Côte d'Azur.

If the landscape of Berlin is in its way a microcosm of Brandenburg, the history of the capital and the state is similarly interconnected. Albert the Bear created Brandenburg as a margravate in the middle of the 12th century. In the 14th century the land fell into the hands of the House

Voyage à travers le Brandebourg et Berlin

«J'ai parcouru la marche et l'ai découverte bien plus riche que je n'osais l'espérer. La terre s'animait et prenait forme à chaque pas...Elle m'a confronté à une richesse (d'impressions) que je savais ne jamais pouvoir m'approprier.» D'après Theodor Fontane, 1961.

Bienvenue dans Brandebourg et Berlin!
On parle souvent du «Saint Empire Romain Sableux», de la «Marche des landes et des sables» en évoquant le Brandebourg, l'ancienne Marche des princes-électeurs entre l'Elbe et l'Oder. Cette région possède bien sûr des landes solitaires et des sols sableux où ne poussent que des pins. Cependant, les paysages du Land de Brandebourg sont loin d'être ennuyeux, monotones ou uniformes, même si le relief ne montre ni montagnes imposantes, ni vallées profondément encaissées. Le Land possède huit régions touristiques. Elles décrivent une courbe commençant par la Prignitz au Nord, puis le territoire de Ruppin, l'Uckermark (Marche d'Ucker), le Havelland (Pays de Havel), le Bernim, la contrée de l'Oder-Spree-Dahme, le Fläming et finalement la Basse-Lusace au Sud. Ces régions offrent aux visiteurs des tableaux changeants, parfois animés et parfois paisibles. Les paysages du Brandebourg s'étirent du Spreewald à la nature unique d'eau et de verdure au Sud jusqu'au Havelland recouvert de vergers et de l'Oderbruch à l'Est à la contrée des lacs autour de Rheinsberg et de Neuruppin.

Berlin, qui est redevenue capitale de l'Allemagne, s'étend au cœur de ce paysage de landes, d'eau, de forêts, de vergers et de langues de terre fertile. La métropole est située dans le Land du même nom où l'on retrouve tous les paysages du Brandebourg, notamment l'eau et la forêt. Les lacs qui pénètrent jusqu'au centre de la ville donnent à Berlin une longueur de rivages dépassant celle de la célèbre Côte d'Azur.

A l'instar des paysages, des liens historiques étroits réunissent le Land de Berlin au Brandebourg dont il n'est administrativement séparé que depuis 1920.

Untrennbar wie die landschaftlichen sind auch die geschichtlichen Bindungen zwischen Brandenburg und Berlin, das erst 1920 aus dem brandenburgischen Provinzialverband herausgelöst wurde. Brandenburg, die vom Askanier Albrecht dem Bären Mitte des 12. Jh. geeinte Markgrafschaft, die im 14. Jh. mit der Kurfürstenwürde in die Hände der Hohenzollern kam, war seit 1618 Mittelpunkt Preußens. Die preußischen Kurfürsten, gleichzeitig Herren von Brandenburg, residierten in Berlin-Cölln, obschon bereits Friedrich Wilhelm, der Große Kurfürst, die Reize Potsdams als Residenz zu schätzen wusste. Sein Urenkel Friedrich der Große machte Potsdam zur Residenz der Könige von Preußen, aus denen später die deutschen Kaiser wurden. Hauptstadt Berlin und Residenzstadt Potsdam waren fortan ein leuchtender Doppelpunkt.

Im Inferno des Kriegsendes 1945 gingen Reich und Hauptstadt unter. Für mehr als 40 Jahre lag Brandenburg mit einem Teil Berlins in einer anderen, nur schwer zugänglichen Welt. Das hat bis heute Spuren hinterlassen. Doch es sind nicht nur traurige Spuren trister Plattenbausiedlungen in den Städten, maroder Industriebetriebe oder verseuchter Umwelt. Zwei von der UNESCO anerkannte Biosphärenreservate, also international bedeutsame Naturschutzgebiete in Brandenburg, mögen das belegen. Das eine ist die Wasserlandschaft des Spreewaldes in der Niederlausitz, das andere das Gebiet der Schorfheide-Chorin.

Noch immer sind viele Dörfer in Brandenburg mehr Mittelpunkt ländlichen Lebens als herausgeputzte Zweitwohnungssiedlungen betuchter Großstädter. Und noch immer führen die berühmten Chausseen, von alten Straßenbäumen gesäumt, mitunter kopfsteingepflastert, über Land zu den Städten. Manchmal enden deren Namen auf -itz oder -ow und weisen sie so als slawischen Ursprung aus. Westslawische Burganlagen stehen vielfach am Beginn der Geschichte brandenburgischer Städte. Askanische Fürsten, in der Niederlausitz auch Wettiner Fürsten, legten um solche Burgen im 13. Jh. deutsche Städte an.

of Hohenzollern and after 1618 it lay at the heart of Prussia. The Prussian electors, who at the same time were lords of Brandenburg, lived in Berlin-Cölln, although Great Elector Friedrich Wilhelm had already discovered the charms of Potsdam. It was his great-grandson Frederick the Great who finally made Potsdam the principal residence of the Prussian kings, and their descendants became German emperors. The capital of Berlin and the residence of Potsdam thus became Prussia's illustrious companion cities. Berlin finally seceded from Brandenburg in 1920 but in 1945, the war's final inferno brought about the downfall of both capital and country.

For more than forty years after this, Brandenburg and one half of Berlin became part of another, barely accessible world whose traces have not yet been eradicated. Nevertheless, there is far more here than just the depressing remains of cheaply built urban tower-blocks, decaying industries and a polluted environment. Two areas in Brandenburg, for instance, have been recognized by UNESCO as nature reserves of outstanding importance: one is the waterlands of the Spreewald in Niederlausitz, the other is the district of Schorfheide-Chorin. Many villages in Brandenburg are still true centres of rural life rather than chic holiday retreats for wealthy town-dwellers. And the traditional avenues, often cobbled and lined with old trees, still provide cross-country connections between towns. Place-names ending in the suffix -itz or -ow are clearly of Slavic origin and West Slavic fortresses have provided the foundation for many a town in Brandenburg. In the thirteenth century the lords of the Askan and Wettin dynasties built German towns with the old Slav castles as their focus. Although many of these towns were subjected to terrible bombardment during the Second World War, the visitor cannot help but marvel over the abundance of old buildings. Most towns have retained their solidly built brick Gothic churches and many have imposing remains of medieval town walls, gateways and towers.

Le margraviat du Brandebourg fut fondé au milieu du 12e siècle par le comte ascanien Albert l'Ours. Il reçut ensuite la dignité électorale, puis fut donné aux Hohenzollern au 14e siècle et devint centre de la Prusse à partir de 1618. Les princes-électeurs prussiens, qui étaient également les margraves de Brandebourg, résidaient à Berlin-Cölln bien que Frédéric-Guillaume, le Grand Electeur, appréciait déjà les charmes de Potsdam. Son arrière-petit-fils, Frédéric le Grand, choisit la ville qui avoisinait Berlin comme résidence des rois de Prusse, les futurs empereurs allemands. Pendant des siècles, la capitale Berlin et la résidence royale Potsdam constituèrent un centre brillant qui fut emporté dans la tourmente de la fin de la seconde guerre mondiale.

Pendant plus de 40 ans, le Brandebourg et un morceau de Berlin firent partie d'un autre monde, difficilement accessible. Cette période a laissé des traces jusqu'aujourd'hui. Mais ce ne sont pas seulement des images tristes de grands ensembles mornes dans des agglomérations urbaines, de zones industrielles dégradées et d'environnement pollué. Le Brandebourg abrite deux réserves biologiques classées par l'UNESCO, c'est-à-dire des parcs naturels protégés d'intérêt international. L'un est le paysage aquatique du Spreewald dans la Basse-Lusace, l'autre est la région de la Schorfheide-Chorin.

La majorité des communes du Brandebourg ont gardé leur vocation rurale et ne sont pas encore devenus des villages réhabilités de résidences secondaires pour citadins fortunés. Les célèbres routes bordées de rangées d'arbres centenaires, et parfois pavées, relient encore les villes à travers la campagne. Les terminaisons en «itz» ou «ow» des noms de quelques-unes d'entre elles indiquent leur origine slave. La plupart des cités brandebourgeoises sont nées de châteaux-forts construits par des Slaves de l'Ouest. Des princes ascaniens et des princes de la lignée Wettiner dans la Basse-Lusace, érigèrent au 13e siècle des villes allemandes autour de ces châteaux.

Obwohl der Zweite Weltkrieg in diesen Städten mitunter grauenvolle Zerstörungen gebracht hat, steht der Besucher verwundert vor dem Reichtum an alter Bausubstanz. Kaum eine dieser Städte, die nicht ihre wuchtige gotische Backsteinkirche hat. Viele haben noch beachtliche Reste von mittelalterlichen Befestigungsanlagen, Stadttoren und -türmen. Und die eine oder andere Stadt hatte das Glück, das jahrhundertealte Stadtbild heil bewahren zu können. Nach den Jahren der Abgeschiedenheit ist Brandenburg heute wieder ein Land zum Entdecken. Noch immer ist die alte Mark ein Land der Schlösser. Darunter weltberühmte wie Sanssouci in Potsdam, Charlottenburg in Berlin oder Rheinsberg im Ruppiner Land, aber auch Schlösser, die abseits der großen Straßen liegen und um die sich Geschichte und Geschichten ranken.Wer nach Rheinsberg kommt, zum Schloss, in dem Friedrich der Große als junger Kronprinz die glücklichsten Jahre seines Lebens verbracht haben soll, mag der Geschichte ebenso nachspüren wie den Geschichten, die heute noch in Brandenburg mit jedem Schloss und jedem Kloster, mit jeder Dorfkirche und jedem Friedhof verbunden sind. Es ist die Fülle dieser Geschichte und dieser Geschichten, die einst Theodor Fontane bei seinen berühmt gewordenen „Wanderungen durch die Mark Brandenburg" begeistert haben. Fontane, der schreibende und wandernde Apotheker aus Neuruppin, hat es uns vorgemacht, wie man die alte Mark Brandenburg bereisen müsste, wenn man die Zeit dazu hätte. Wie man den stillen Dingen, den Liebschaften des großen Preußenkönigs mit der Försterstochter Sabine oder den Geheimnissen des Stechlinsees ebenso nachspüren müsste wie einem Michael Kohlhaas oder dem Ablassprediger Tetzel in Jüterbog.

Bei dieser Farbbild-Reise durch Brandenburg und Berlin wird so manches lebendig vor Augen geführt, was als Mosaikstein das bunte Bild Brandenburgs in der Vergangenheit wie in der Gegenwart ausmachte und ausmacht. Und es wird deutlich, wie sehr Brandenburg und Berlin in seinem Herzen eine Einheit sind.

And a few have been unbelievably lucky and have remained virtually unchanged over the course of the centuries.

Now the long years of a divided Germany are past, Brandenburg has yet again become a land just waiting to be explored. Mark Brandenburg is a country of palaces, some of them – such as Sanssouci in Potsdam, Charlottenburg in Berlin and Rheinsberg in the Ruppin district – world-famous. Others less well-known because they lie off the beaten track are nevertheless steeped in history and legend.

The visitor to Rheinsberg, the palace where Frederick the Great is said to have spent his happiest years as Crown Prince, will sense the not only the history but also the legend that lingers here as in every palace and every abbey, every village church and every churchyard in Brandenburg. Theodor Fontane, the writer and wanderer from Neuruppin, showed us the right way to explore Mark Brandenburg, if only we had the time – how to go in search of and document history and legend, everything from the love of the great Prussian king for the forester's daughter Sabine and the mysteries of Lake Stechlin to the obsessions of Kleist's Michael Kohlhaas and the rantings of Luther's enemy, the fiery preacher Tetzel.

This pictorial journey through Brandenburg brings much to light that can be seen as pieces of the mosaic that made and make up the colourful past and present of Brandenburg. And it will become clear that Berlin and Brandenburg are at heart a unity.

Bien que ces villes aient subi de graves dévastations durant la seconde guerre mondiale, les visiteurs seront toutefois surpris par l'abondance des architectures anciennes. Presque toutes possèdent encore de majestueuses églises gothiques en brique et beaucoup ont conservé des vestiges importants d'enceintes, des portes et des tours médiévales. Quelquesunes ont même la chance d'avoir gardé intacte leur physionomie d'autrefois.

Après des années d'isolation, le Brandebourg est aujourd'hui de nouveau une région à découvrir. La vieille Marche est encore la région des châteaux. Outre les châteaux mondialement connus de Sans-Souci à Potsdam, de Charlottenburg à Berlin et de Rheinsberg dans la contrée de Ruppin, des résidences seigneuriales, à l'écart des grandes routes, racontent un passé historique captivant.

Rheinsberg est le lieu où Frédéric le Grand, alors jeune prince héritier, aurait passé les plus belles années de sa vie. Ce château révèle au visiteur une page d'histoire et de petite histoire, de même que tous les autres châteaux, cloîtres, églises de village et cimetières du Brandebourg. La richesse de toutes ces histoires enthousiasma Theodor Fontane durant ses randonnées dans le Brandebourg dont il fit un livre célèbre. L'apothicaire de Neuruppin, qui écrivait et voyageait, nous a montré comment il fallait explorer la vieille Marche de Brandebourg, lorsqu'on en avait le temps et comment il fallait découvrir les choses cachées: l'amourette du grand roi prussien avec Sabine, la fille du forestier, le mystère du lac de Stechlin, Michael Kohlhaas ou encore le prédicateur d'indulgences Tetzel à Jüterborg.

Dans ce voyage photographique à travers le Brandebourg et Berlin, on découvre les pièces d'une mosaïque qui forment l'image colorée du Brandebourg du passé et du présent. Elle illustre combien le Brandebourg et Berlin constituent en fait une unité profonde.

Friedrich der Große hat 1750 nach dem Vorbild eines römischen Platzes den Großen Markt in Potsdam gestalten lassen. Das beherrschende Bauwerk hier ist die Nikolaikirche. Nach einer Idee des Kronprinzen Friedrich Wilhelm (IV.) baute Karl-Friedrich Schinkel die heutige Kirche. Daneben steht das Alte Rathaus von 1735–55. – Im Zuge der Stadterweiterung wurde das heute unter Denkmalschutz stehende Holländische Viertel für die hier lebenden Holländer angelegt. 1733 entstand als erstes neugotisches Bauwerk in Deutschland hier das Nauener Tor.

Frederick the Great modelled the Grosse Markt in Potsdam on a Roman forum. Its most striking building is the Nikolaikirche, designed by the great architect Schinkel at the instigation of Crown Prince Frederick William IV. Close by is the old town hall, dating from 1735. – The second stage of the expansion of Potsdam resulted in the creation of a district for the Dutch community, the Dutch Quarter, now an historical monument. The Nauentor, Germany's first neo-Gothic building, was erected here in 1733.

En 1750, Frédéric le Grand fit aménager le Grand Marché de Potsdam selon les plans d'une place romaine. Son principal édifice est l'église Saint-Nicolas. Karl-Friedrich Schinkel bâtit l'église actuelle selon une idée du prince héritier Frédéric-Guillaume (IV). L'ancien hôtel de ville de 1735/55 s'élève à côté. – Aujourd'hui site protégé, le quartier des Hollandais fut construit pour la colonie hollandaise lors du deuxième agrandissement de la ville qui eut lieu à l'époque baroque. Erigée en 1733, la porte Nauen est le premier édifice de style néo-gothique d'Allemagne.

So reich Potsdam an Schlössern auch war und noch ist, so hat doch kein anderes solchen Weltruhm erlangt wie Schloss Sanssouci. Friedrich II., genannt der Große, König von Preußen, hat die ersten Entwürfe für dieses Schloss „Ohnesorge" selber gefertigt, sein Baumeister Wenzeslaus von Knobelsdorff hat den Prachtbau dann ausgeführt. Die Südseite des Schlosses erhebt sich über eine in Etagen aufsteigende Weinbergterrasse im südländisch heiteren Stil, während die Nordseite höfisch-kühl und eher distanzwahrend auf den Besucher wirkt.

As rich as Potsdam was, and still is, in palaces, none has achieved the international fame of Sanssouci. It was Frederick the Great, King of Prussia, who drew up the original plans for the palace named "carefree", and employed his architect Knobelsdorff to carry out work on this magnificent building. The south side of the palace, overlooking rows of terraces planted with vines, has a Mediterranean charm, while the north side, with its cool, formal aspect, stands more aloof from the visitor.

Potsdam possède encore de nombreux châteaux, mais aucun n'est aussi mondialement connu que le palais de Sans-Souci. Frédéric II, appelé le Grand, roi de Prusse, conçut lui-même les premiers plans du château que réalisa son maître d'œuvre, Wenzeslaus von Knobelsdorff. Le côté sud du château regarde sur les terrasses des Vignes, étagées dans un style gai, méditerranéen, tandis que la façade nord présente un aspect solennel et plutôt distant au visiteur.

Als der Kurfürst Friedrich III. sich selbst zum König krönte, herrschte er über ein zerrissenes, ärmliches Staatsgebiet. Weil Westpreußen polnisch war, durfte er sich nur König „in" Preußen nennen. 100 Jahre später war diese Monarchie die mächtigste Macht in Nordeuropa. Friedrich I. hinterließ einen Schuldenberg und eine schwache Armee. Sein Sohn Friedrich Wilhelm I. änderte nach seiner Inthronisierung 1713 beides. Sein eiserner Arbeitswille reformierte das Land, jedoch führte der sogenannte „Soldatenkönig" keine nennenswerten Schlachten mit seiner geliebten Armee.

At the time when Elector Frederick III. had himself crowned king, the state he ruled was impoverished and torn by strife. As West Prussia was under Polish domination, he could only call himself the king "in", not of, Prussia. Yet a century later, the monarchy he founded had become the most powerful in northern Europe. Although Frederick left a mountain of debt and a weak army, his son Frederick William I soon remedied these weaknesses after his coronation in 1713. It was his iron will that reformed the whole country, the "Soldier King" never engaged his army in any major battles.

Lorsque le prince-électeur Frédéric III de Brandenbourg se fit couronner Frédéric 1er de Prusse, le pays dont il prenait le pouvoir était aussi pauvre que désuni. Comme la Prusse-Occidentale appartenait à la Pologne, Frédéric 1er ne pouvait se nommer que «roi en Prusse». À sa mort, il laissa une montagne de dettes et une armée dérisoire. Son fils Frédéric-Guillaume 1er changea la face des choses à partir de 1713, date de son intronisation. D'une main de fer, le «Roi-Sergent» réforma le pays et en fit un État militaire, sans toutefois l'engager dans d'importantes actions belliqueuses.

Erst sein Sohn Friedrich II. – „der Große" genannt – der als Schöngeist viele Sympathien besaß, führte Preußen mit strategisch außergewöhnlichen Schlachten zu Preußens Ruhm. Mit dem Tod des „Preußenkönigs" 1786 war die Blütezeit zu Ende und nach der Besetzung Napoleons verlor Preußen immer mehr an Macht und Bedeutung. Die Vorherrschaft Preußens innerhalb Deutschlands endete mit der Gründung des Deutschen Kaiserreichs 1871.

Frederick II, generally known as Frederick the Great, won much admiration and esteem as a patron of the arts. He also earned international recognition and respect for Prussia by winning a series of strategically remarkable battles. Frederick's death in 1786 marked the end of Prussia's heyday and in the wake of the Napoleonic invasions, the country's might and influence suffered a steady decline. The dominance of Prussia within Germany came to an ultimate end with the establishment of the German Empire in 1871.

Son fils, Frédéric le Grand, dit le Roi philosophe, despote éclairé et ami de Voltaire, usa de la force militaire pour agrandir la Prusse et en faire une grande puissance européenne. L'âge d'or de la nation s'éteignit avec lui en 1786. Le déclin du pays s'amorça après sa défaite contre Napoléon et l'occupation française. La Prusse redevint pourtant un État politique puissant suite au Congrès de Vienne en 1815 , mais elle devait perdre son hégémonie en Allemagne avec la création de l'Empire allemand (le II Reich) en 1871.

Seit dem Mittelalter gibt es im Havelland um Werder ausgedehnten Obst- und Weinbau. Die unzähligen Obstbäume machen im Frühjahr zu ihrer Blütezeit das Land um Werder zu einem einzigartigen Blütenparadies. Im Mai, zur Zeit der Apfelbaumblüte, feiert man in Werder bereits seit 1879 das Obstblütenfest. Dabei wird jener Obstwein kredenzt, der aus den Früchten der letztjährigen Ernte gewonnen wurde und die Erinnerung an den heute nicht mehr betriebenen „richtigen" Weinbau aufrecht erhält.

There has been extensive fruit and vegetable cultivation in Havelland on the Werder since the Middle Ages, though grapes are no longer grown here. In spring, when the vast orchards are in bloom, the area becomes a veritable paradise of blossoms. Since 1879 Werder's fruit blossom festival has taken place in May, when the flowering apple trees are at their best and the previous year's fruit wines are ready for tasting. The cherry and plum orchards, some of them extremely old, are today protected areas.

Au Moyen Age déjà, des vignes et des vergers entouraient Werder, dans le pays de la Havel. La contrée autour de Werder se transforme en un immense paradis fleuri à l'époque de la floraison des arbres fruitiers. Depuis 1879, Werder célèbre la fête de la floraison au mois de mai, lorsque les pommiers sont en fleurs. On sert alors le vin de fruits fabriqué avec les récoltes de l'année précédente, une coutume qui rappelle la culture de la vigne que l'on ne pratique plus aujourd'hui.

Die Pfarrkirche der Neustadt ist eine dreischiffige, fünfjochige Hallenkirche aus Backstein. Reste deuten auf den Vorgängerbau aus dem 12. Jahrhundert hin. Gelder aus dem schwunghaften Ablasshandel sicherten den Neubau der Kirche, der 1381 begonnen und durch den Stettiner Baumeister Hinrich Brunsberg fortgeführt wurde. – Am Nordwestrand des Niederen Fläming liegt die alte Stadt Jüterbog mit einer gut erhaltenen Altstadt. Hier findet man auch das Dammtor mit seinem Vortor.

The parish church of Brandenburg Neustadt is a three-naved, five-bay hall church constructed of brick. Some sections reveal clear traces of the 12th century church that originally stood on this site. The present building, begun in 1381, was financed by the flourishing trade in indulgences. The architect was Hinrich Brunsberg, from Stettin. – South-west of Berlin, in the Fläming region, is the town of Jüterbog. The Dammtor stands in its well-preserved old quarter.

L'église paroissiale du quartier de Neustadt est un édifice en briques de type « halle » à trois nefs et cinq travées. Plusieurs éléments de style roman proviennent d'une église antérieure, construite au 12e siècle. Le commerce florissant des indulgences permit l'édification de la nouvelle église commencée en 1381 et achevée par Hinrich Brunsberg, célèbre architecte de Stettin. – L'ancienne localité de Jüterbog s'étend sur le bord nord-ouest du Bas-Fläming. Sa vieille-ville bien conservée abrite entre autres la Porte du Damm bâtie avec une porte d'accès.

Das Kloster Zinna, im 12. Jahrhundert entstanden, gehört heute noch zu den architektonisch eindrucksvollsten Bauten der Zisterzienser in Brandenburg. Die Klosterbauten zeugen von Macht und Reichtum Zinnas. Im Bild sieht man das Gästehaus und die Neue Abtei des Klosters (15. Jh.). – In der alten Industriestadt Luckenwalde dient seit 1484 der Turm der abgerissenen Burg als Marktturm und Glockenturm der Johanniskirche. Daneben bietet die Stadt interessante Beispiele wohlerhaltener Industriearchitektur aus der Zeit um 1900.

Zinna Abbey, founded in the 12th century, is architecturally one of the most interesting Cistercian foundations in Brandenburg. Its buildings bear witness to the former wealth and power of the community, and visitors to the Guest House and the New Abbey gain a vivid impression of monastic life in the 15th century. – Nothing exists of the castle in the old industrial town of Luckenwalde except the tower, which since 1484 has served both as a market tower and the bell tower of the Johanniskirche.

Erigé au 12e siècle, le monastère Zinna fait partie des architectures les plus impressionnantes bâties par les Cisterciens dans le Brandebourg. Les édifices du monastère témoignent de la puissance et de la richesse de Zinna. La visite de la maison des hôtes et de la nouvelle abbaye donne une idée éloquente de la vie monastique au 15e siècle. – L'unique vestige du château de la vieille ville industrielle de Luckenwalde est une tour qui sert de beffroi et de clocher à l'église Saint-Jean depuis 1484.

Mit ihren vielen schönen Fachwerkhäusern bietet die kleine Stadt Dahme das eindrucksvolle Bild einer geschlossenen Kleinstadt des 19. Jahrhunderts. Da man in Dahme immer eine Vorliebe für Fachwerkhäuser hatte, die schnell Opfer von Feuersbrünsten werden konnten, ist die Bausubstanz der Stadt nicht älter als höchstens 200 Jahre. Immer wieder wurde die Stadt Opfer von Stadtbränden. Ein kleiner Unternehmer aus Dahme, Otto Unverdorben, entdeckte 1826 jene Anilinfarbe, die später der deutschen Chemieindustrie Weltruhm eintrug.

The little town of Dahme presents an impressive sight to visitors, for it has remained virtually unchanged since the 19th century. As its citizens preferred timbered houses, which are always quick to fall victim to fire, the town was destroyed in conflagrations time and time again, and there are few walls left standing that are more than 200 years old. In 1826 Otto Unverdorben, a native of Dahme, discovered aniline dye here, a process that was to make the German chemical industry world-famous.

Abritant de nombreuses maisons à colombages, Dahme offre la physionomie d'une petite ville du 19e siècle. L'architecture à pans de bois a toujours été très appréciée à Dahme, mais comme elle est facilement la proie des flammes, aucun des édifices n'a plus de 200 ans. La ville fut ravagée maintes fois par des incendies. Otto Unverdorben, petit entrepreneur natif de Dahme, découvrit en 1826 l'aniline, produit de l'indigo, qui aida plus tard à asseoir la réputation mondiale de l'industrie chimique allemande.

Die aus dem Grenzland zu Böhmen kommende Spree hat nur sehr wenig natürliches Gefälle. So muss sich der Fluss seinen Weg durch das Land ganz langsam suchen, weitet sich dabei immer wieder zu Verästelungen, sogenannten Fließen, aber auch zu seenartigen Verbreiterungen aus. Die auf diese Weise entstandene höchst eindrucksvolle und urtümliche Landschaft von Wasser und waldbesetzten Inseln ist als Spreewald weithin berühmt geworden. Unterhalb der Stadt Lübben beginnt der so genannte Unterspreewald, in dem der Fluss sich in mehrere Arme aufspaltet.

The course of river Spree, which rises on the Bohemian border, has a very small drop from source to end, and so it wends its way sluggishly through the countryside, at some points dividing into several branches, at others flooding low-lying land to form lakes. The Spreewald, or Spree forest, is just such an area, well-known because of its captivating, semi-primordial scenery of water and wooded islands. North of Lübben is the Lower Spreewald, where the river divides into a network of rivulets.

La Spree qui vient de la frontière de la Bohême, n'a presque pas de déclivité naturelle. La rivière se fraye lentement un chemin à travers la nature et s'évase parfois pour former des bras d'eau ainsi que de petits lacs. Les magnifiques paysages naturels d'eau et d'îles boisées dessinés par la rivière constituent la contrée renommée du Spreewald. Juste au-dessous de la ville de Lübben, commence le territoire appelé Unterspreewald (Spreewald inférieur) où le cours d'eau se divise en plusieurs bras.

Sorbische Ostereier-Werkstatt

Bereits im Altertum waren Eier das Symbol des Lebens. Im 2.Jh. verknüpften die Christen das Aufbrechen der Eierschale mit der Öffnung der Grabstätte von Jesus. Gefärbte (rote) Eier waren bereits zum Neujahrsfest im alten Persien bekannt. Noch heute sollen rote Eier besonderes Glück verheißen. Die Lausitz ist bekannt für die Pflege volkstümlicher Osterbräuche. Die vielen Ostereiermärkte lohnen einen Besuch dieses Landstriches. Mit besonderer Liebe verzieren hier die Sorben ihre Ostereier. Jedes Ei ist ein in Handarbeit entstandenes Kunstwerk, mit Kratz-, Ätz- oder Wachstechnik hergestellt.

Sorb Easter egg customs

Even in the Ancient World, eggs were recognised as a symbol of life In 2 A.D. Christians began to associate the breaking of the eggshell with the opening of Christ's tomb. In Ancient Persia, eggs were dyed red to celebrate New Year, and even today, red eggs are said to bring luck. The Lausitz region is well-known for preserving ancient Easter customs, and a visit is especially recommended in this season, when many Easter egg markets take place. The Sorb people decorate their Easter eggs with loving care and attention. Each egg, carefully crafted by scratching, etching or waxing typical motifs, becomes a work of art in itself.

Pâques dans la tradition sorbe

L'oeuf était déjà un symbole de vie dans l'Antiquité. Au 2e siècle de notre ère, les chrétiens associaient le brisement d'une coquille d'oeuf à l'ouverture du tombeau de Jésus. Dans toutes les régions d'Allemagne, on peint des oeufs à l'occasion de Pâques; ceux colorés en rouge sont supposés apporter du bonheur. La Lusace est notamment connue pour entretenir ses traditions pascales séculaires. Les nombreux marchés de Pâques de la région attirent une foule de touristes. Les Sorbes transforment chaque oeuf en un petit chef d'oeuvre, usant de toutes sortes de techniques de peinture.

In den zweisprachigen Gemeinden der Nieder-lausitz wird von Mitte Januar bis in den März der Brauch der Sorbischen Fastnacht, „Zapust" gefeiert. Der farbenfrohe Umzug in den traditionellen Trachten, bei dem der Winter ausgetrieben werden soll, gehört in mehr als 35 Gemeinden um Cottbus zu den Höhepunkten des Dorflebens. Nur in zwei Dörfern, wie hier in Werben am Rande des Spreewalds, wird noch die typische Haube (Lapa) zum Zapust getragen. In Brandenburg leben etwa 20.000 Sorben/-Wenden, in Sachsen sind es doppelt so viele.

From mid-January to March, the bilingual parishes of Lower Lausitz celebrate the tradition of the Sorb Carnival, known as Zapust. People dressed in local costume take part in colourful parades which symbolise the driving out of winter, a custom which is the high point of village life in nearly forty communities around Cottbus. The typical hood, or Lapa, shown here is, however, only worn in two village parades, as here in Werben, on the outskirts of the Spree Forest. About 20,000 Sorbs (or Wends), a Slav minority, live in the state of Brandenburg, while double this number live in Saxony.

En Basse-Lusace, «Zapust», la fête sorbe de la mi-carême, est célébrée de la mi janvier à mars. Dans plus de 35 communes des alentours de Cottbus, les Sorbes, vêtus de leurs costumes traditionnels, forment de joyeux cortèges pour célébrer la fin de l'hiver. Ces fêtes sont un des événements les plus importants de la vie villageoise. La «lapa», coiffure traditionnelle de cet ancien peuple, n'est plus portée que dans deux villages dont celui de Werben, situé à la périphérie du Spreewald (photo). Jusqu'à aujourd'hui, les Sorbes cultivent leurs propre langue et traditions.

LÜBBENAU / Oberspreewald

Herzstück des Oberspreewaldes ist das Städtchen Lübbenau. Hier und in der Umgebung leben viele Sorben, die zahlenmäßig wichtigste nationale Minderheit in Deutschland.

Von Lübbenau aus können Touristen sich auf langen, flachen Kähnen über die Fließe durch den Spreewald fahren lassen. Dabei kommt man in Dörfer, die wie Lehde nur wenige feste Wege haben, wo heute noch der ganze Verkehr mit Kähnen abgewickelt wird.

LÜBBENAU / Oberspreewald

At the heart of the Upper Spreewald lies Lübbenau, which has a large population of Sorbs, or Wends, a people who make up the most significant national minority in Germany.

From Lübbenau tourists board long wooden punts to be ferried along the River Spree, whose channels are known as Fliesse. The route passes through villages like Lehde where traffic consists mainly of boats, roads being few and far between.

LÜBBENAU / Oberspreewald

Lübbenau est le joyau du Spreewald supérieur. Dans la ville et ses environs habitent de nombreux Sorbes qui forment la minorité nationale la plus importante d'Allemagne.

Depuis Lübbenau, les touristes peuvent partir explorer les bras de la Spree à bord de longues barques plates. Ils découvrent ainsi des villages comme Lehde où n'arrivent que très peu de routes depuis la terre ferme et où presque tout ce qui concerne le transport est effectué par bateau.

SPREEWALD, Kähne auf dem Fließ ▷

Eine Kahnfahrt über die Fließe des Spreewaldes gehört heute zu den Höhepunkten einer Reise durch die Mark Brandenburg. Der besondere Reiz des Spreewaldes, der auch dazu geführt hat, dass diese Landschaft als Biosphärenreservat unter besonderen Schutz gestellt wurde, liegt im Zusammentreffen von unwegsamer Wasserlandschaft, die von teilweise urwüchsigen Waldbeständen durchsetzt ist. Bei Kahnfahrten über die Fließe des Oberspreewaldes, bei denen die Kähne mit langen Stangen vorwärtsgestakt werden, begegnet man seltenen Pflanzen und Tieren.

No visit to the region of Mark Brandenburg is complete without a trip on one of the typical flat river boats that are propelled by long punt poles along the maze of rivers that meander through the Spreewald. This area has its own unique charm, with its wilderness of watercourses that thread through often untouched woods and forests, and not surprisingly it is now under special protection as a nature reserve. The branching waters of the Upper Spreewald are home to many rare plants and animals.

Une excursion en barque sur les bras de rivière du Spreewald est un des points culminants d'un voyage dans la Marche de Brandebourg. Les paysages aquatiques, inaccessibles par la terre ferme, entrecoupés de forêts centenaires, constituent le charme particulier du Spreewald et lui ont valu de devenir un site biologique protégé. Une promenade sur les bras de rivière du Spreewald supérieur fait découvrir une flore et une faune rares tandis que la barque glisse sur l'eau au rythme des longues perches.

Motorboote sind auf den Gewässern des Spreewaldes nicht zugelassen, doch Wasserwanderer können mit eigenen oder gemieteten Paddelbooten das Netz der Wasserläufe und Kanäle nach Herzenslust befahren und erforschen. – Zu den insgesamt 32 Seen des Spreewaldes gehört der große Schwielowsee östlich von Lübben. Er gehört zu einem Landschaftsschutzgebiet, in dem die typische Tier- und Pflanzenwelt erhalten bleiben soll. Trotzdem ist er vor allem an seinem Südufer für Wassersportler und Campingfreunde zugänglich.

Motor boats are not permitted to navigate the waters of the Spreewald but visitors can make their own excursions with private or hired rowing boats and explore the network of channels and canals to their hearts' content. The large Schwielowsee east of Lübben is one of the thirty-two lakes to be found in the Spreewald. With its singular flora and fauna it now forms part of a nature reserve, but in spite of this, watersports and camping are permitted on the lake, mainly on the south shore.

Les bateaux à moteur sont interdits sur les voies navigables du Spreewald, mais on peut explorer à souhait le réseau de cours d'eau et de canaux à bord de toute autre embarcation louée ou privée. – Situé à l'Est de Lübben, le grand lac de Schwielow est une des 32 étendues d'eau du Spreewald. Il fait partie d'un site naturel protégé destiné à conserver la flore et la faune typique de la région. Toutefois, la rive sud du lac a été aménagée pour les campeurs et les sports nautiques.

Im Osten Brandenburgs liegt Cottbus, von den Sorben Chosebuz genannt. Dank seiner Lage an der Spree ist es das südöstliche Tor zum Spreewald, aber auch wirtschaftlicher und kultureller Mittelpunkt der Niederlausitz. Schon 1156 wurde die Stadt erstmals erwähnt. Nach einem Stadtbrand 1671 wurde das Zentrum von Cottbus im Stil des sächsischen Barock neu aufgebaut. Aus dieser Zeit stammen die denkmalgeschützten Häuser am Marktplatz. Von der alten Stadtbefestigung blieben drei Stadttore erhalten, darunter das Spremberger Tor.

Cottbus, named Chosebuz by the indigenous Sorb people, lies in the east of Brandenburg. Spremberger Tor is one of three surviving gateways that were once part of the medieval town walls. Owing to its geographical position Cottbus has not only become the industrial and cultural centre of Niederlausitz but also the south-eastern approach to the Spreewald. In 1671 the town burnt down and was rebuilt in Saxon Baroque style. The houses in the market place, now historical monuments, date from this period.

Cottbus ou Chosebuz en langue sorbe, s'étend à l'Est de Brandebourg. Sa situation sur la Spree fait de la ville la porte sud-est du Spreewald, mais aussi le centre culturel et économique de la Basse-Lusace. La ville est mentionnée pour la première fois en 1156. Le centre de Cottbus fut reconstruit dans le style saxe-baroque après un incendie en 1671. C'est de cette époque que datent les maisons de la place du Marché qui sont monuments protégés. Trois portes dont la Porte Spremberg sont des vestiges de l'enceinte qui entourait la ville.

Auf einer Insel in der Spree, die hier soeben von Sachsen her kommend Brandenburg erreicht hat, gab es ursprünglich eine slawische, später eine deutsche Burg. In ihrer Nähe wurde im 13. Jahrhundert die Stadt Spremberg gegründet. Vor allem die hübsche Lage an den steilen Ufern der Spree, die hier seit jeher weit und breit den einzigen Flussübergang ermöglichten, macht den Reiz des Grenzstädtchens aus, das mal brandenburgisch und mal sächsisch, mal böhmisch und dann preußisch war.

Just after the River Spree crosses the border from Saxony to Brandenburg it flows through the town of Spremberg. The first settlement here was an island castle that was first a Slav, then a German stronghold. Spremberg itself dates from the 13th century and is attractively situated on the steeply shelving banks of the Spree, at the only point for miles where it is possible to cross the river. During its long history Spremberg has belonged to Brandenburg, Saxony, Bohemia and Prussia.

La Spree traverse Spremberg juste après avoir franchi la frontière entre la Saxe et le Brandebourg. Un château-fort slave s'éleva d'abord à cet endroit, puis plus tard un château allemand. La ville de Spremberg y fut fondée à proximité au 13e siècle. Elle jouit d'une situation très agréable sur les rives abruptes de la Spree, au seul endroit sur des kilomètres où la rivière est traversable. Durant sa longue histoire, Spremberg a appartenu au Brandebourg, à la Saxe, à la Bohême et à la Prusse.

FORST / Neiße / Rosengarten

Als nach dem Zweiten Weltkrieg die deutsche Ostgrenze entlang der Oder und Neiße gezogen wurde, kam die Stadt Forst in die Lage einer Grenzstadt zu Polen. Im Mittelpunkt der im 13. Jahrhundert von den Wettinern gegründeten Stadt steht die aus dem Jahre 1256 stammende Stadtkirche St. Nikolai. Seit der Mitte des 19. Jh. wurde Forst, das heute durch seinen Rosengarten berühmt ist, zu einem Mittelpunkt der Textilindustrie.

FORST / Neisse / Garden of Roses

When the German border was created along the Oder-Neisse line after the Second World War, Forst found itself directly on the frontier to Poland. The town was founded in the 13th century, and its principal church of St Nikolaus dates from 1256. This aerial view shows clearly how the marketplace surrounding the church once lay at the very heart of the town. Since the middle of the 19th century Forst has been a centre of the textile industry, though today it is best known for its superb Rose Gardens.

FORST / Neisse / roseraie

Après la seconde guerre mondiale, Forst se retrouva sur la frontière avec la Pologne lorsqu'on traça la frontière de l'Allemagne de l'Est le long de l'Oder et de la Neisse. L'église paroissiale Saint-Nicholas de 1256 domine la ville fondée au 3e siècle par les Wettiner. La vue aérienne montre que la place du marché s'étendant devant l'église, forme précisément le cœur de la localité. Forst qui fut un centre de l'industrie textile à partir du milieu du 19e siècle, est aujourd'hui renommée pour sa roseraie.

Neuzelle ist das einzige vollständig erhaltene Zisterzienserkloster Brandenburgs und eines der wenigen in Europa. Markgraf Heinrich der Erlauchte gründete 1268 das Kloster und schuf damit den Grundstock der Besiedelung der Niederlausitz. Die heutige Gestalt des Klosters ist vorwiegend aus dem 15. Jh. Der sächsische- und böhmische Einfluss macht sich in der barocken Bauweise der Kirche bemerkbar. 1815 säkularisierte Friedrich Wilhelm II. das Kloster und somit ging es als Stift Neuzelle an den Staat Preußen über. Zur Finanzierung des Stiftes finden heute viele Veranstaltungen statt.

Neuzelle is the only completely preserved Cistercian monastery in Brandenburg, and one of the few in Europe. Margrave Henry the Illustrious founded the monastery in 1268 and in doing so created a basis for the settlement of Lower Lausitz. The present buildings date largely from the 15th century. Saxon and Bohemian elements are especially apparent in the church's Baroque architecture. Frederick William II secularised the monastery in 1815 and ownership of the Neuzelle Foundation passed to the State of Prussia. Many cultural events take place here in order to finance the foundation.

Neuzelle est l'unique monastère cistercien entièrement conservé du Brandebourg et l'un des rares qui existent encore en Europe. Il fut fondé en 1268 par le margrave Henri «l'Éclairé» qui établit ainsi la base de la colonisation de la Basse-Lusace. L'édifice actuel date en grande partie du 15e siècle. Le style baroque de l'église est dû à des influences de Saxe et de Bohême. En 1815, Frédéric- Guillaume III fit séculariser le monastère qui revint ainsi à la Prusse. Aujourd'hui, l'entretien du complexe est financé grâce à de nombreuses manifestations culturelles.

Beiderseits des Oder-Spree-Kanals, in unmittelbarer Nähe der hier die Grenze zu Polen bildenden Oder, entstand 1961 Eisenhüttenstadt durch den Zusammenschluss der alten, schon im 12. Jh. gegründeten Stadt Fürstenberg an der Oder mit Stalinstadt. Stalinstadt selbst war 1951 als Wohnstadt für die Beschäftigten des Eisenhüttenkombinates J. W. Stalin geschaffen worden. Aus diesem Städtezusammenschluss bildete sich die erste sozialistische Stadt der damaligen DDR, doch im alten Fürstenberg lebt immer noch die Atmosphäre einer märkischen Oderstadt.

Eisenhüttenstadt stands on the Oder-Spree canal, a short distance from the River Oder which here forms the border between Poland and Germany. The name Eisenhüttenstadt dates from 1961, when the 12th century town of Fürstenberg was united with 20th century Stalinstadt. Fürstenberg has retained much of its traditional provincial character: Stalinstadt was founded in 1951 to accommodate workers from the J. W. Stalin iron processing combine. It was the first socialist town in the former East Germany.

Eisenhüttenstadt s'étend de chaque côté du canal Oder-Spree, tout près de l'Oder qui constitue la frontière avec la Pologne. La ville est née en 1961 de la réunion de Stalinstadt avec Fürstenberg sur l'Oder, ancienne localité fondée au 12e siècle. Stalinstadt était une agglomération créée en 1951 pour les travailleurs de l'usine sidérurgique J. W. Stalin. Elle fut la première ville de l'ancienne RDA bâtie à l'ère socialiste. Toutefois, l'ancien Fürstenberg sur l'Oder a conservé l'atmosphère d'une ville de la Marche.

Das Hinterland von Eisenhüttenstadt entpuppt sich bei einer Fahrt nach Westen als außerordentlich abwechslungsreich und landschaftlich schön. Kein Wunder, dass sich hier zwischen dem Gebiet Müllrose und dem Spreewald zahlreiche Landschaftsschutzgebiete und Naturschutzgebiete aneinanderreihen. Eine Kette kleiner Seen zieht sich durch das Tal der Schlaube hin, und zahlreiche alte Mühlen, die zum Teil in Gasthäuser umgewandelt worden sind, locken die Ausflügler an. Gerne besucht wird die Bremsdorfer Mühle nahe der Straße von Eisenhüttenstadt nach Beeskow.

The countryside to the west of Eisenhüttenstadt is extraordinarily varied and scenically extremely attractive. It is no wonder, then, that here between Müllrose and the Spreewald there are any number of protected areas and nature reserves. A chain of small lakes runs through valley of the Schlaube and there are numerous old mills, some converted to guest houses, to attract tourists. One of these is the much-visited Bremsdorfer Mühle, on the road from Eisenhüttenstadt to Beeskow.

En partant vers l'Ouest, on découvrira toute une diversité de paysages magnifiques dans l'arrière-pays d'Eisenhüttenstadt. Ce n'est donc pas étonnant que les sites naturels protégés se succèdent ici entre Müllrose et le Spreewald. Une chaîne de petits lacs s'étire à travers la vallée de la Schlaube où de nombreux vieux moulins, parfois transformés en auberges, attirent les excursionnistes. L'un des plus fréquentés est le moulin de Bremsdorf situé près de la route qui conduit de Eisenhüttenstadt à Beeskow.

Im Mittelalter war Frankfurt dank seiner Lage an wichtigen Handelsstraßen zu Lande und zu Wasser die bedeutendste Stadt der Mark Brandenburg. Nach dem Zweiten Weltkrieg wurde Frankfurt zur Grenzstadt mit dem wichtigsten Straßen- und Eisenbahnübergang nach Polen. Welche Bedeutung die Stadt im Mittelalter hatte, beweist die Tatsache, dass Frankfurt Mitglied der Hanse und von 1506 bis 1811 Sitz der brandenburgischen Landesuniversität Viadrina war, die inzwischen als Europa-Universität wiedergegründet ist.

In the Middle Ages Frankfurt on the Oder's position on important trade routes and waterways made it the principal town of Brandenburg. After the last war Frankfurt stood on the main road and rail crossing from East Germany to Poland. Its significance in the Middle Ages is shown by the fact that Frankfurt was a member of the Hanseatic League and home to the Viadrina University of the State of Brandenburg from 1506 till 1811. This institution has now been refounded and renamed the Europa-Universität.

Au Moyen Age, Francfort-sur-l'Oder était la ville la plus importante de la Marche de Brandebourg en raison de sa situation au carrefour de routes de commerce fluviales et terrestres. Après la seconde guerre mondiale, Francfort devint une ville frontalière, plaque tournante majeure de la circulation vers la Pologne. L'importance de la ville au Moyen Age se dévoile dans le fait qu'elle faisait partie de la Hanse. Entre 1506 et 1811, elle fut également le siège de l'Université Viadrina du Brandebourg qui a de nouveau été recréée en tant qu'Université de l'Europe.

Das Rathaus von Frankfurt zählt architektonisch zu den schönsten und wertvollsten Rathäusern östlich der Elbe. In seinen Anfängen stammt es als gotischer Backsteinbau aus dem 13. Jh. Anfang des 17. Jh. erweiterte man das Gebäude im Stil der Renaissance. Besonders auffällig ist der prächtige, repräsentative Schaugiebel, der dem Rathaus Ende des 14. Jh. angefügt wurde. Es ist vor allem dieser Schmuckgiebel, der heute noch sichtbar den einstigen Reichtum der Hansestadt bezeugt.

The town hall of Frankfurt is regarded as one of the finest and architecturally most significant east of the Elbe. The origins of the first Gothic brick building can be traced back to the 13th century. In the early 17th century extensions were added in Renaissance style. Especially noteworthy is the eye-catching ornamental gabling that dates from the 14th century. This, if anything, testifies to the former wealth of this Hanseatic town.

L'hôtel de ville de Francfort compte parmi les plus belles architectures d'hôtel de villes à l'Est de l'Oder. D'abord édifice gothique en briques construit au 13e siècle, il fut élargi dans le style Renaissance au début du 17e siècle. Le pignon magnifique, ajouté à la façade à la fin du 14e siècle, témoigne de l'ancienne richesse de la ville de la Hanse.

Zwischen Berlin und Frankfurt/Oder dehnt sich das sogenannte Land Lebus. Hier entwickelte sich am Ufer der Spree aus einer askanischen Gründung die Stadt Fürstenwalde. – In der größten freitragenden Halle der Welt werden ab 2005 die ersten Transportluftschiffe mit einer Länge von 260 Metern und einem Durchmesser von 65 Metern in Serie gebaut. Frachten mit einem Volumen von max. 3.200m³ und einem Gewicht bis 160 Tonnen können über Distanzen bis 10.000 km transportiert werden. Das schwebende Luftschiff nimmt die Ladung aus einer Höhe von 100 Metern per Lift auf.

Fürstenwalde stands midway between Berlin and Frankfurt on the Oder. The town first gained prominence as the seat of the powerful Bishop of Lebus. – From the year 2005, the first transport airships will be constructed in the largest cantilevered hall in the world. The airships will be built to a standard model, 260 m in length and 65 metres in diameter, and will be able to transport freight with a maximum volume of 3200 cm³ and a weight of up to 160 metric tons over distances of up to 10,000 km. The loading procedure involves the airship hovering at a height of 100 m.

La région de Lebus s'étend entre Berlin et Francfort-sur-l'Oder. C'est ici que les Ascaniens fondèrent Fürstenwald sur une rive de l'Oder qui devint un centre important de pêche. – À partir de 2005, les premiers avions-cargos sortiront des chaînes de montage du plus vaste hall de fabrication du monde. Ces avions auront 260 m de long et 65 m d'envergure. Ils pourront transporter jusqu'à 3200 mètres cubes ou 160 tonnes de fret sur des distances de 10 000 kilomètres. Le chargement de l'appareil s'effectue par élévateur, à 100 mètres de hauteur.

Zwischen den Armen der Spree, am Rande der Müggelseen und in den Ausläufern der Müggelberge ist Berlins Bezirk Köpenick eines der schönsten Eingangstore in die deutsche Hauptstadt. Unsterblich wurde Köpenick, damals noch eine selbstständige Stadt vor den Toren Berlins, als hier am 16. Oktober 1906 der als Hauptmann verkleidete Schuster Wilhelm Voigt den Bürgermeister von Köpenick verhaftete. Bis heute hat sich Köpenick in seinem Zentrum ein wenig vom Flair einer märkischen Kleinstadt erhalten.

Berlin's district of Köpenick, situated between two arms of the river Spree, is one of the most attractive approaches to the German capital. It stands in the foothills of the Müggelberge, near the Müggel lakes. Köpenick achieved enduring fame when still an independent community outside Berlin, for it was here in October 1906 that the shoemaker Wilhelm Voigt disguised himself as a captain and arrested the town's mayor. Although now part of Berlin, Köpenick has retained some of its provincial charm.

Situé entre les bras de la Spree, au bord du lac de Müggel et au pied de la montagne de Müggel, le quartier de Berlin appelé Köpenick est un des plus jolis accès à la capitale allemande. Köpenick, alors une ville autonome aux portes de Berlin, est entrée dans l'histoire lorsque le cordonnier Wilhelm Voigt, costumé en capitaine, arrêta le maire de la ville le 16 octobre 1906. Jusqu'aujourd'hui, le centre de Köpenick a conservé un peu de l'atmosphère d'une petite ville de la Marche.

Der Hauptmann von Köpenick

BERLIN-KÖPENICK, Schloss

Der heutige Berliner Stadtbezirk Köpenick entwickelte sich aus einer mittelalterlichen slawischen Burganlage, an deren Stelle Kurfürst Joachim II. Mitte des 16. Jahrhunderts ein Jagdschloss im Stil der Renaissance errichtete. Ende des 17. Jahrhunderts ließ der Große Kurfürst Schloss Köpenick in seine heutige Gestalt bringen. Im Inneren des mit prächtig verzierten Barock- und Rokoräumen versehenen Schlosses befindet sich seit 1963 das bereits 1867 gegründete Kunstgewerbemuseum, das bedeutendste seiner Art in Deutschland.

BERLIN-KÖPENICK, castle

The present Berlin district of Köpenick can trace its origins to a medieval Slav castle, which in the mid-16th century was converted by Elector Joachim II to a hunting lodge in Renaissance style. In the late 17th century Schloss Köpenick was refurbished and since then it has remained unchanged. The interior decoration is lavish Baroque and Rococo. Since 1963 the mansion has housed a museum of applied art, which with its collection dating from 1867 is the finest of its kind in Germany.

BERLIN-KÖPENICK, château

L'actuel quartier berlinois de Köpenick s'est développé autour d'un château-fort slave médiéval à l'emplacement duquel le prince-électeur Joachim II fit construire un pavillon de chasse Renaissance au milieu du 16e siècle. L'édifice reçut sa physionomie actuelle à la fin du 17e siècle, sous le règne du Grand Electeur. A l'intérieur, les salles sont somptueusement décorées dans le style baroque. Depuis 1963, le château abrite le musée des Arts appliqués fondé en 1867 et qui est le plus important en son genre en Allemagne.

Ein erheblicher Teil des Berliner Stadtgebietes von 883 Quadratkilometern besteht aus Wasser. Das Labyrinth von Havel, Spree und Märkischen Seen zieht sich durch das Zentrum der Stadt und von allen Seiten an sie heran. Allein die Fläche der Berliner Seen wie Wannsee, Tegeler See oder Müggelsee ist größer als die aller Alpenseen zusammen und beschert den Berlinern einzigartige Möglichkeiten für Wassersport und sonstige Freizeit an und auf dem Wasser. Die Havel, die sich immer wieder seenartig verbreitert, bildet einen großen Teil vom nassen Herzen Berlins.

A considerable amount of Berlin's 883 square metres consists of water. A veritable labyrinth of lakes, including the Havel, Spree and Märkische lakes, surrounds the city and broad stretches of the Havel even run through the centre. The surface area of lakes like the Wannsee, Tegeler See and Müggelsee is in fact greater than all the Alpine lakes put together. For the Berliners these stretches of water provide unique opportunities for water-sports and similar activities on and by the water.

Une grande partie des 883 km² du territoire de Berlin est recouverte d'eau. Le labyrinthe de la Havel, de la Spree et des lacs de la Marche enferme la ville et s'étend jusqu'à son cœur. La superficie du Wannsee, du Tegeler See ou du Müggelsee, trois des lacs berlinois, est plus grande que l'ensemble de tous les lacs alpins. Ces immenses plans d'eau offrent aux Berlinois de splendides sites de loisirs et de multiples possibilités de pratiquer toutes sortes de sports nautiques. La Havel, qui s'élargit en de nombreux petits lacs, constitue notamment le cœur lacustre de Berlin.

Das Brandenburger Tor im Herzen von Berlin wurde nach dem Mauerbau 1961 wie kein anderes Bauwerk zum Symbol der geteilten Stadt. Der Torbau wurde 1788–1791 auf Anordnung König Friedrich II. nach dem Vorbild der Propyläen in Athen geschaffen. Es wird gekrönt durch eine nach Osten fahrende Quadriga mit der Siegesgöttin Victoria. Das Brandenburger Tor war das erste klassizistische Bauwerk in Berlin und sollte der Prachtstraße Unter den Linden einen prunkvollen architektonischen Abschluss geben.

The Brandenburg Gate, at the very heart of Berlin, became the prime symbol of the divided city after the construction of the Berlin Wall in 1961. Modelled on the Propylaeum in Athens, the gateway was built between 1788 and 1791 on the orders of King Frederick II. It is crowned by the Quadriga, an east-facing four-horse chariot bearing Victoria, goddess of Victory. The Brandenburg Gate, Berlin's first neo-classical edifice, marks the culmination of the grand boulevard of Unter den Linden.

Après la construction du mur en 1961, la Porte de Brandebourg au cœur de Berlin devint le symbole de la ville divisée. La porte fut érigée en 1788–1791 sous le roi Frédéric II, d'après le modèle des Prophylées d'Athènes. Elle est surmontée d'un quadrige tourné vers l'Est et que conduit Victoria, la déesse de la victoire. Premier édifice de Berlin bâti en style classique, la Porte de Brandebourg était destinée à fermer le vaste boulevard Unter den Linden d'une architecture monumentale.

BERLIN, Schloss Charlottenburg

Das Charlottenburger Schloss wird von Touristen und Berlinern als attraktives barockes Bauwerk geschätzt (erbaut 1695 bis 1791). Faszinierent ist das breite Spektrum der Schlossanlage mit dem Turm auf dem Kernbau und den Flügenbauten, die sich über 550 Meter erstrecken. Dabei begann alles ganz bescheiden. Nach einem Entwurf von Arnold Nehring entstand 1695-1699 ein Lustschloss für die Kurfürstin Sophie Charlotte. Mit der Krönung Kurfürst Friedrich III. zum König in Preußen (1701) entwickelte sich am Schloss rege Bautätigkeit.

BERLIN, Charlottenburg castle

Built in 1695-1791, the Baroque splendor of Charlottenburg Palace attracts Berliners and tourists alike. Visitors beholding the central building with its tower and adjacent wings are generally struck by the expanse of the palace buildings extending to a length of 550 m. The beginnings, however, were quite modest. In 1695-1699, a small summer castle was built for Electoress Sophie Charlotte according to plans of Arnold Nehring. When Elector Friedrich III was crowned King of Prussia in 1701, builders were briskly put to work at the palace again.

Berlin, château de Charlottenburg

L'édifice baroque du château de Charlottenburg, construit entre 1695 et 1791 est un lieu très apprécié des touristes et des Berlinois. L'ensemble avec, une façade principale de 550 mètres de longueur, une haute tour et deux longues ailes offre une image impressionnante. Et pourtant, à l'origine, il avait des dimensions plutôt modestes. Le premier édifice fut érigé de 1695 à 1699 par l'architecte Arnold Nehring, comme château de plaisance pour la princesse Sophie-Charlotte. Son époux, le prince-électeur Frédéric III le fit agrandir quand il devint roi de Prusse sous le nom de Frédéric 1er (1701).

Bis 1838 war der Potsdamer Platz eine schlichte Straßenkreuzung. Durch den Bau des Potsdamer Bahnhofs entwickelte sich dort im Herzen Berlins einer der belebtesten Plätze Europas. In den 20er Jahren des 20. Jh. kreuzten sich hier täglich die Wege von 100.000 Menschen, 20.000 Autos und 30 Straßenbahnen. Durch den 2. Weltkrieg wurden 80% des Potsdamer Platzes zerstört, und die Teilung Berlins ließ ihn über viele Jahrzehnte zum Niemandsland veröden. Nach dem Fall der Mauer 1989 wurde hier die Bebauung eines riesigen Areals in Angriff genommen.

Up until 1838 Potsdamer Platz was a simple crossroads. Following the construction of the Potsdam Station, this area in the very heart of Berlin developed into one of the liveliest squares in the whole of Europe. In the 1920's, the paths of 100,000 people, 20,000 cars and 30 tram routes crossed here each day. 80% of the Potsdamer Platz was destroyed in the Second World War, and in the forty-year long bisection of the city it faded away into the desolation of no man's land. When the wall came down in 1989, the city of Berlin started a restoration of the Potsdamer Platz area.

Jusqu'en 1838, le Potsdamer Platz n'était qu'un simple carrefour. Depuis la construction de la gare de Potsdam, le Potsdamer Platz, situé en plein centre ville, est devenu l'une des places les plus animées d'Europe. Dans les années vingt, 100.000 personnes y circulèrent quotidiennement ainsi que 20.000 automobilistes et 30 tramways. Le Potsdamer Platz fut détruit à 80% pendant la seconde guerre mondiale et la division de Berlin en fit une zone neutre déserte pendant plus quatre décennies.

Aus dem Café im obersten Stockwerk des Europa-Centers, das an Stelle des ehemaligen Romanischen Cafés am Breitscheidplatz errichtet wurde, hat man vor allem am Abend einen eindrucksvollen Blick auf die belebten Straßen in der Tiefe. Links zieht sich der Kurfürstendamm hin, in der Mitte die Kantstraße und rechts die Hardenbergstraße. Der Blick fängt sich am Komplex der Kaiser-Wilhelm-Gedächtniskirche. Nur die Turmruine wurde nach den Kriegszerstörungen konserviert und in den modernen, am Abend von innen her blau leuchtenden Kirchenneubau einbezogen.

In Breitscheidplatz there was once a famous artists' venue, the Romanische Cafe. This is long gone, replaced by the Europa Centre whose top-floor cafe offers a fine view over Berlin, particularly in the evening. In the centre is Kantstrasse with the Kürfürstendamm to the left and Hardenbergstrasse to the right. Dominating the foreground is the Gedächtniskirche, destroyed in the last war. Its ruined tower is integrated into a modern church whose blue-lit interior is best seen after dark.

Depuis le café au dernier étage du Centre de l'Europe, érigé à l'emplacement de l'ancien Café Roman sur la place dite Breitscheidplatz, on découvre surtout le soir, une vue splendide sur les rues animées de la métropole. Le Kurfürstendamm s'étire à gauche, la Kantstrasse se trouve au milieu et la Hardenbergstrasse est à droite. Le regard s'arrête sur la Kaiser-Wilhelm-Gedächtniskirche. Seule la tour en ruines a été conservée après les ravages de la guerre. Elle est baignée de la lumière bleue qui provient de l'intérieur de la nouvelle église adjacente.

Durch den 2. Weltkrieg wurden 80% des Potsdamer Platzes zerstört, und die Teilung Berlins ließ ihn über vier Jahrzehnte zum Niemandsland veröden. Nach dem Fall der Mauer 1989 wurde hier die Bebauung eines riesigen Areals in Angriff genommen, welches weit über den früheren Potsdamer Platz hinaus geht. Ein Platz ist nach der berühmten Schauspielerin Marlene Dietrich (geb.1901) benannt. Mit dem Film „Der blaue Engel" gelang Ihr der Durchbruch zum Filmstar. In den 30er-Jahren machte sie in Hollywood Karriere und wurde 1939 Staatsbürgerin der USA. Ihre letzte Ruhestätte fand sie 1992 in Berlin.

80 % of the Potsdamer Platz was destroyed in the Second World War, and in the forty-year long bisection of the city it faded away into the desolation of no man's land. When the wall came down in 1989, the city of Berlin started a restoration of the Potsdamer Platz area. A square is named after the famous actress Marlene Dietrich, born in 1901. The film "Der blaue Engel" catapulted her to stardom. In the 1930s she made a career in Hollywood and became a US citizen in 1939. She was buried in Berlin in 1992.

Le Potsdamer Platz fut détruit à 80 % pendant la seconde guerre mondiale et la division de Berlin en fit une zone neutre déserte pendant plus de quatre décennies. Une des places de Berlin est aujourd'hui nommée d'après la célèbre actrice Marlène Dietrich (1901-1992) qui devint une star grâce au film «l'Ange bleu». La comédienne commença une carrière internationale à Hollywood dans les années trente et prit la nationalité américaine en 1939. Marlène Dietrich repose à Berlin depuis 1992.

Der Name der Stadt Oranienburg nördlich von Berlin ist untrennbar verbunden mit der aus dem holländischen Geschlecht Nassau-Oranien stammenden Prinzessin Luise Henriette. Der Große Kurfürst schenkte ihr Bötzow und ließ an Stelle eines alten Schlosses seiner Gemahlin ein neues Schloss bauen, das im Hinblick auf die Herkunft aus dem Hause Oranien der Kurfürstin zusammen mit dem Ort Bötzow den Namen Oranienburg bekam.

The name of the town of Oranienburg, north of Berlin, is inseparably connected with Princess Luise Henriette, a member of the Dutch dynasty of Nassau-Orange. Her husband the Elector made her a present of Bötzow and on the site of an old palace had a new one built for his wife called Oranienburg, which is a reference to her family name.

Le nom de la ville d'Orianenburg située au Nord de Berlin est inséparable de celui de la princesse Louise-Henriette issue de la maison hollandaise Orange-Nassau. Le Grand Electeur lui offrit Bötzow et fit construire une nouvelle résidence sur l'emplacement d'un vieux fort. Le château et la localité de Bötzow reçurent le nom d'Orianenburg d'après la lignée de la princesse.

Ein askanischer Fürst, Albrecht der Bär, soll im Jahre 1140 bei einem Trinkgelage die Idee gehabt haben, Bernau zu gründen. Die Geschichte vom Trinkgelage könnte einen realen Hintergrund haben. Bis ins 17. Jh. war Bernau eine ausgesprochene Brauerstadt, hier soll damals das beste Bier der Mark Brandenburg gebraut worden sein. Von der alten Stadt sind noch Teile der Wehranlage erhalten. Dazu gehören das gewaltig wirkende Steintor und der 26 Meter hohe Hungerturm, der mit ihm durch zwei Wehrgänge verbunden ist und heute das Heimatmuseum enthält.

In 1140, the story goes, a nobleman named Albert the Bear decided during a drinking session to found the town of Bernau. The legend may bear a grain of truth in it, for until the 17th century Bernau was a town of brewers, and the best beer in Brandenburg is said to have been made here. Parts of the old town walls remain, including the massive, austere Steintor gateway and the 26-metre-high Hungerturm, now a local history museum, which is connected to the Steintor by battlements.

L'idée de fonder Bernau serait venue en 1140 à Albert l'Ours, prince ascanien, lors d'une beuverie. L'histoire pourrait être vraie car Bernau fut une ville de brasserie importante jusqu'au 17e siècle. C'est ici que la meilleure bière de la Marche de Brandebourg aurait été fabriquée. La ville a conservé des vestiges de son ancienne enceinte dont la porte massive appelée Steintor et la tour dite Hungerturm qui y est reliée par deux chemins de rondes. L'édifice haut de 26 mètres abrite aujourd'hui un musée folklorique.

„...und haben vielleicht das schönste Landschaftsbild vor uns, das die Märkische Schweiz ... aufzuweisen vermag ... unmittelbar unter uns der blaue, leicht gekräuselte Schermützelsee, drüben am anderen Ufer, in den Schluchten verschwindend und wieder zum Vorschein kommend, die Stadt (Buckow) und endlich hinter derselben eine bis hoch hinauf mit jungen frischgrünen Kiefern und dunklen Schwarztannen besetzte Berglehne". So schreibt Fontane 1861 über den Schermützelsee und die Stadt Buckow. Der Sage nach soll einst eine Stadt im 45 Meter tiefen See versunken sein.

"...and we have perhaps the most beautiful scenery before us that the Märkische Schweiz ... has to offer. Immediately below us is the rippled blue Schermützelsee, on the far shore the town, disappearing and reappearing from the gorges, and finally, beyond the town, a ridge, covered to the summit with young green pines and dark firs." So ran Theodor Fontane's description of Buckow and Lake Schermützel in 1861. The lake is 45 metres deep and in its waters there lies, according to legend, a sunken city.

«...et nous regardons peut-être le plus beau paysage que la Märkische Schweiz (la Marche suisse) ait à offrir...à nos pieds, les ondulations bleues du Schermützelsee, là-bas, sur la rive lointaine, la ville (Buckow) qui apparaît et disparaît entre les gorges et puis, en toile de fond, une haute crête couverte de jeunes pins verts et de sapins sombres.» C'est ainsi que Theodor Fontane décrivit le lac de Schermützel et Buckow en 1861. Selon une légende, une ville serait engloutie dans le lac profond de 45 mètres.

Auf märkischem Sand befindet sich der Naturpark Märkische Schweiz. Ein facettenreiches Landschaftsmosaik aus tiefen Schluchten und Tälern, Hügeln, Bächen, Seen, Söllen, Wäldern und Mooren sowie heckenreichen Wiesen und Feldern, dessen Reiz man sich nicht entziehen kann. Mittendrin finden sich verträumte Dörfer, malerische Kleinstädte sowie einzelne Gutshöfe und Schlösser, die den Eindruck vermitteln, dass hier die Zeit stehen geblieben ist. Schon Chamisso, Fontane oder das Künstlerpaar Brecht/Weigel hat die Märkische Schweiz in ihren Bann gezogen.

The nature reserve known as the Switzerland of Mark Brandenburg is situated on the sandy soil typical of the Mark. The landscape here is a multi-facetted mosaic, consisting of deep-cut ravines and valleys, hills, streams, lakes, tarns, woods and marshes. There are also fields and meadows ringed with hedges, resulting in a scenery of irresistible charm. Scattered throughout this countryside are tranquil villages, picturesque market towns and solitary farms and mansions that convey the distinct impression that here, time has stood still. This region has captivated many famous people.

Le parc naturel dit Märkische Schweiz (Marche suisse) s'étend dans la région de la Marche célèbre pour son sol sableux. On y découvre un paysage mosaïqué de gorges profondes, de vallées, de collines, de lacs et de rivières, de forêts et de marécages. Des villages endormis, de petites villes pittoresques, des manoirs et châteaux parsèment cette contrée où le temps semble s'être arrêté. La Märkische Schweiz a depuis toujours fasciné de célèbres écrivains et artistes, dont Chamisso, Fontane et le couple Bertolt Brecht et Helene Weigel.

Die Ruine des ehemaligen Zisterzienserklosters Chorin gilt als die bedeutendste Ruine der Mark Brandenburg. 1273 erbaut, wurde das Kloster alsbald als Beispiel edelster norddeutscher Backsteingotik architektonisches Vorbild für weitere Klosterbauten der Zisterzienser. Die Reformation brachte das Ende des Klosters, es wurde Domäne, die Kirche zum Viehstall degradiert. In der Klosterkirche finden die berühmten Choriner Sommerkonzerte statt.

The ruins of the Cistercian abbey of Chorin are the most noteworthy in Mark Brandenburg. Built in 1273, the abbey was an superb example of North German brick Gothic and served as a model for later Cistercian foundations. It was closed during the Reformation and became a country estate, with the church a mere cattleshed. Nowadays the Chorin summer concerts take place here.

Les ruines du monastère cistercien de Chorin sont une des principales curiosités de la Marche de Brandebourg. Edifié en 1273, le monastère était un ouvrage magnifique d'architecture de style gothique nord-allemand et servit de modèle à la construction d'autres monastères cisterciens. Sécularisé durant la Réforme, il devint un domaine agricole et l'église fut transformée en étable. Aujourd'hui, l'église est la scène des célèbres concerts d'été de Chorin.

Von der Höhe des Schiffshebewerkes Niederfinow schaut man auf den Oder-Havel-Kanal. Dieser wichtige Schiffahrtsweg zwischen Oder und Havel wurde 1605 bis 1620 mit insgesamt 14 Schleusen angelegt. 1914 baute man ihn zum Großschiffahrtsweg Berlin-Stettin mit nur noch vier Schleusen um. Seit dem Mittelalter suchte man nach Möglichkeiten, die Wasserscheide zwischen Oder und Havel zu überwinden. Erst als im 16. Jahrhundert die Kammerschleuse erfunden wurde, konnte der uralte Traum des Oder-Havel-Kanals verwirklicht werden.

Here we see the Oder-Havel canal from the ship hoist at Niederfinow. Medieval lords tried in vain to master the difficulties of crossing the Barnim watershed between the Oder and the Havel, but not until the invention of the lock-gate in the 16th century could the dream be realized. The canal was built between 1605 and 1620, an important shipping route between the Oder and Havel, with 14 locks along its course. In 1914 four were added when the canal was extended to connect Berlin and Stettin.

Cette image du canal de l'Oder-Havel est prise depuis l'élévateur de bateaux de Niederfinow. L'importante voie fluviale entre l'Oder et la Havel qui comprend 14 écluses, fut construite entre 1605 et 1620. 4 écluses furent ajoutées en 1914 lorsqu'on agrandit le canal pour relier Berlin à Stettin. Dès le Moyen Age, les seigneurs de la région avaient cherché à traverser la ligne de partage des eaux du Barnim entre l'Oder et la Havel. Le rêve d'un canal Oder-Havel ne put être réalisé qu'après l'invention de l'écluse au 16e siècle.

NIEDERFINOW, Schiffshebewerk

Den 36 Meter betragenden Höhenunterschied der Wasserscheide zwischen Oder und Havel überwindet im Verlauf des Oder-Havel-Kanals seit 1934 das gigantische Schiffshebewerk von Niederfinow in fünf Minuten. Dabei werden Schiffe bis zu tausend Tonnen in ein 60 Meter hohes Stahlgestell gehoben oder abgesenkt.

NIEDERFINOW, ship hoist

The gigantic ship hoist at Niederfinow was erected in 1934 to enable ships using the Oder-Havel canal to cross the watershed between the Oder and Havel rivers. In no more than five minutes, ships of up to 1,000 tonnes can be raised or lowered in a sixty-metre-high steel frame.

NIEDERFINOW, élévateur de bateaux

L'élévateur de bateaux d'une hauteur de 60 mètres de Niederfinow fut construit sur le canal en 1934. Il permet aux navires de 1000 tonnes maximum de traverser en cinq minutes la différence de 36 mètres du partage des eaux entre l'Oder et la Havel.

52

Dieser See ist wie kaum ein anderer in der Mark Brandenburg von Sagen und Märchen umrankt und von besonderer landschaftlicher Schönheit. Der elf Kilometer lange und bis zu 50 Meter tiefe See ist ein landschaftliches Kabinettstück des größten Waldgebietes der Mark Brandenburg. Das weite Gebiet der Schorfheide mit den großen Wäldern, Feuchtbiotope und Moore prägt diese von vielen seltenen Tieren belebte Landschaft. Sie war seit jeher Jagdgebiet der Mächtigen, von den Askaniern angefangen über die Kurfürsten bis hin zu Göring und Honnecker.

Not far north of Lichterfelde we find the Werbelliner See, a lake of mystery and legend in an especially beautiful setting. Hardly another lake in Mark Brandenburg is surrounded by so many sagas and folk tales as this one. Eleven kilometres long and up to fifty metres deep, it is the showpiece of Schorfheide, the largest forest in Mark Brandenburg. For centuries Schorfheide has provided hunting-grounds for the mighty, from the ancient dynasty of the Askaner to Goering and Honnecker in the 20th century.

A une demi-heure de trajet au nord de Lichterfelde nous approchons le Werbellinsee entouré de légendes. Un paysage magnifique encadre le lac de 11 km de long et dont la profondeur atteint 50 mètres. Il s'étend au cœur du plus grand territoire boisé de la Marche de Brandebourg. La Schorfheide, d'une superficie de 20000 hectares, est composée de forêts, de biotopes et de marais où vit une faune rare. Elle a toujours été le territoire de chasse des puissants, depuis les Ascaniens, les prince-électeurs à Goering et Honnecker.

Das Biosphärenreservat Schorfheide-Chorin ist mit 129.161 ha eines der größten Schutzgebiete Deutschlands. Die im nordöstlichen Teil des Landes Brandenburg gelegene eindrucksvolle Kulturlandschaft umfasst rund 240 Seen, tausende Moore, ausgedehnte Wälder, Wiesen und Äcker. Eigenwillige Baumgestaltungen in vielen Teilen des Biosphärenreservates geben Auskunft über vergangene Formen der Waldnutzung. Berühmt sind die Hute-eichen in der Schorfheide. Mit 35.000 Menschen, das bedeutet 28 Einwohner/qkm, ist es eines der am wenigsten besiedelten Gebiete Deutschlands.

The Schorfheide-Chorin Biosphere, encompassing an area of 129,161 hectares, is one of the largest nature reserves in Germany. This impressive, especially developed landscape in the northeast of the state of Brandenburg includes abut 240 lakes, thousands of marshes and extensive areas of forest, meadows and farmland. In many parts, strange tree formations bear witness to former methods of forestry cultivation, a famous example being the Hute Oak in Schorfheide. With a population of 35,000 - that is, an average of 28 inhabitants per square kilometre.

Schorfheide-Chorin qui s'étend sur 129.161 ha est une des plus grandes réserves protégées d'Allemagne. Cet écosystème situé au nord-est du Brandebourg, comprend quelque 240 lacs, des milliers de marais, de vastes forêts, des paysages de prairies et de champs. Dans de nombreux endroits du parc, des bosquets de diverses variétés d'arbres renseignent sur les anciennes plantations forestières. La Shorfheide est célèbre pour ses chênaies. Cette région est l'une des moins peuplées d'Allemagne. 35 000 personnes y vivent, à savoir 28 habitants au km².

Nur der Blick aus der Luft kann den Reichtum der brandenburgischen Landschaft an fließendem und stehendem Wasser erfassen. Eine besonders einprägsame Wasserlandschaft zieht sich am Westrande der Schorfheide hin. Der Vosskanal, wichtig als Verbindung zwischen dem Oder-Havel-Kanal und der Havel wird hier von unzähligen kleinen Seen und Teichen gerahmt. Zisterzienserinnen des um 1250 gegründeten Klosters Zehdenick nutzten die durch den Tongrubenabbau enstandenden Teiche als Fischteiche, denn sie lebten fleischlos.

Only a bird's eye view – or a flight passenger's view – can take in the rich variety of the flowing and still waters of Brandenburg's countryside. An especially impressive landscape of wetlands and water extends along the western edge of Schorfheide. The Voss Canal, an important link between the Oder-Havel Canal and the Havel, is bordered by countless small lakes and ponds, many dug out by the Cistercian nuns of Zehdenik convent, founded 1250. They ate no meat and so needed a ready supply of fish.

Seule une vue aérienne peut dévoiler la richesse en lacs et rivières de la nature brandebourgeoise. Un véritable paysage d'eau s'étend tout le long de la lisière occidentale de la Schorfheide. Le canal de Voss qui est une voie navigable importante entre le canal de l'Oder-Havel et la Havel, est bordé d'une multitude de petits lacs et étangs. Un grand nombre d'entre eux ont été aménagés par les nonnes du couvent cistercien de Zehdenik fondé vers 1250. Les membres de cet ordre étaient végétariens et avaient besoin de pièces d'eau pour leur fournir du poisson.

Auf der höchsten Geländeerhebung liegt nahe dem See die aus dem 13. Jahrhundert stammende St.Marienkirche mit ihrem gewaltigen Westturm. Die kleine Stadt hat sich trotz ihrer verkehrsmäßig wichtigen Lage bis heute eine ländliche Atmosphäre bewahrt. Im Süden ragt der Pulverturm (Ende des 13. Jh.) als einziges erhaltenes Gebäude der Stadtbefestigung 20 m hoch auf. Zuerst diente der Pulverturm als Strafraum und Gefängnis, später nutzten ihn Kaufleute zur Lagerung ihrer Pulvervorräte. Auf der Turmspitze brütet seit 1850 nachweislich der Weißstorch.

Near the lake, stands St Marienkirche (13th century) with a massive west tower. Despite its situation on main traffic routes, the little town of Angermünde has retained its rural atmosphere to this day. In the south of the town the 20-metre-high Pulverturm, or Powder Tower, provides a conspicuous landmark. Dating from the 13th century, it is the only remaining section of the former town defences. Originally a prison and place of punishment, it was later used by merchants to store powder. White storks have been recorded as nesting on top of the tower since 1850.

L'église Sainte-Marie domine le lac depuis la plus haute colline de la contrée. L'édifice flanqué d'une puissante tour date du 13e siècle. Bien qu'elle soit située près d'une route à grande circulation, la petite ville a gardé une atmosphère champêtre jusqu'à aujourd'hui. Au sud de la localité, la «Pulverturm», haute de 20 m, fut édifiée à la fin du 13e siècle et est l'unique élément conservé des anciens remparts. Elle servit d'abord de prison avant que les marchands n'y stockent leurs réserves de poudre. Dans la chronique de la ville, il est mentionné que les cigognes nichent sur son sommet depuis 1850.

Das Klima Ostbrandenburgs, also auch das des Unteren Odertals, wird vielfach als „ostbrandenburgisches Übergangsklima" zwischen den beiden Hauptklimazonen Europas bezeichnet. Daher bietet der Nationalpark und Landschaftsschutzgebiet „Unteres Odertal" eine reichhaltige Flora und Fauna mit zum Teil einmaligen Beständen. Der Nationalpark erstreckt sich in Deutschland entlang der Oder über 28.000 ha und dehnt sich noch weit über die Grenze von Polen hinaus. Das untere Odertal gehört zu den artenreichsten Lebensräumen Deutschlands, wovon viele auf

The climate of East Brandenburg, including that of Lower Odertal, is often referred to as the East Brandenburg transitional climate, for this area marks the interface of the two major European climatic zones. Because of this, the national park and nature reserve of Lower Odertal provides shelter for numerous species of flora and fauna that in many cases are unique. In Germany the national park covers an area of over 28 000 hectares extending along the course of the River Oder, although it also continues over the border into Poland.

Le climat à l'est du Brandebourg, dans la région dite «Untere Odertal», est un climat de transition entre les deux principales zones climatiques d'Europe. De ce fait, le parc national d'Untere Odertal offre une faune et une flore riche et très diversifiée. Cette réserve naturelle s'étend le long de l'Oder sur plus de 28 000 hectares pour sa partie allemande, puis occupe une surface également vaste au-delà de la frontière polonaise. Elle abrite de nombreuses espèces végétales et animales uniques dont beaucoup sont aujourd'hui menacées.

der Roten Liste der bedrohten Arten stehen. Die überschwemmten Wiesen sind im Frühjahr und Sommer Rastplatz für viele durchziehende Wasservögel wie Enten, Gänse, Schwäne und auch Schnepfenvögel. Mehr als 120 Vogelarten brüten hier, darunter Adler, Schwarzstörche und die weltweit vom Aussterben bedrohten Seggenrohrsänger und Wachtelkönige. Mit 16 Amphibien- und Reptilienarten und 47 Fischarten, von denen 32 heimisch sind, sowie zahlreichen Insekten und Weichtieren ist die Oderniederung ein bedeutsames Refugium für seltene Wirbeltiere.

The lower reaches of the Oder are home to a greater variety of breeds than almost anywhere else in Germany; many are officially listed as threatened species. The water meadows flood in spring and summer, supplying a resting place for many migrating aquatic birds such as ducks, geese, swans and snipe. More than 120 species of bird nest here, including eagles, black storks and two under threat of extinction world wide - the aquatic warbler and the corncrake. The Lower Oder nature reserve provides a thriving habitat for countless insects.

Au printemps et en été, les prés inondés sont l'habitat d'une multitudes d'oiseaux aquatiques et migrateurs tels que canards, oies sauvages, cygnes et bécasses. Plus de 120 espèces d'oiseaux viennent nicher dans cette contrée. On y voit des aigles, des cigognes noires ainsi que des rousserolles et des râles des genêts, deux espèces menacées dans le monde entier. L'Oder constitue un écosystème important pour des espèces vertébrées rares. Il abrite 16 espèces amphibies et reptiles, 47 espèces de poissons dont 32 sont indigènes, en outre de nombreuses variétés d'insectes.

△ Haubentaucher   ▽ Laubfrosch   △ Falter   ▽ Flusspfeifer

Am nördlichen Ende des Unterückersees entwickelte sich seit 1172 aus einem slawischen Burgwall die heutige Stadt Prenzlau. Lange Zeit war sie das historische Zentrum der Uckermark, jener Grenzlandschaft, die immer wieder in kriegerische Auseinandersetzungen zwischen Brandenburg, Mecklenburg und Pommern verwickelt war. Von der alten Stadtbefestigung sind heute noch drei Tortürme, darunter der Mitteltorturm, erhalten geblieben. Daneben sieht man die zweitürmige Marienkirche, die Ende des 13. Jahrhunderts gebaut wurde.

The present-day town of Prenzlau dates back to 1172, when it was no more that a Slav fortress on Lake Uecker. For centuries Prenzlau was the chief town of Ueckermark, a border area that was constantly involved in the long-standing armed hostilities between Brandenburg, Mecklenburg and Pomerania. Parts of the 13th century town walls still stand, and some of its gateways, including the Mitteltorturm in the photo, have survived to this day. Right of it can be seen the late 13th century Marienkirche.

Prenzlau fut fondée en 1172 autour d'un château-fort slave qui s'élevait à la pointe nord du lac Uecker. La ville est restée longtemps le centre historique de l'Uckermark, une région frontalière que le Brandebourg, le Mecklembourg et la Poméranie ne cessèrent de se disputer au cours des siècles. Trois portes dont le Mitteltorturm sont des vestiges des anciennes fortifications de la ville. Derrière, se dresse l'église Notre-Dame construite à la fin du 13e siècle.

Der Gransee ist einer von geradezu unzähligen Seen, die das nördliche Brandenburg durchsetzen. Er wäre nicht weiter erwähnenswert, läge nicht an seinem Ufer eine der hübschesten kleinen Städte, die es heute in Brandenburg gibt, Gransee. Beachtliche Reste der alten Stadtbefestigung mit dem malerischen Ruppiner Tor, der schmale Marktplatz, die Marienkirche mit ihren beiden ungleichen Türmen und das Sarkophag-Denkmal für Königin Luise lassen den Eindruck aufkommen, in Gransee sei die Zeit etwas langsamer vergangen.

The Gransee, just one of countless lakes strewn over north Brandenburg, would hardly be worth a mention if it were not for the fact that one of the prettiest towns in Brandenburg stands on its shore. Time seems to move more slowly here, for so much from the past remains: the town walls with the picturesque Ruppin gateway, the narrow market-place, the Marienkirche with its assymetrical towers and the memorial to the Prussians' beloved Queen Luise, whose body lay here for a night en route to Berlin.

Le lac de Gran n'est qu'un des multiples lacs qui parsèment le Nord du Brandebourg. Mais il mérite cependant d'être mentionné car une des plus jolies villes du Brandebourg s'étend sur ses rives. Le temps semble s'être arrêté à Gransee qui a conservé de nombreuses traces du passé: des vestiges de son ancienne enceinte dont la porte Ruppin, une place du marché pittoresque, l'église Notre-Dame aux deux tours asymétriques et le monument commémoratif de la reine Louise, très aimée de son peuple, dont le cercueil resta une nuit à Gransee.

Eingebettet in weite Wälder ruht im Norden der Rheinsberger Seenplatte der Große Stechlinsee. Kein anderer See hat im Laufe der Zeit die Phantasie der Menschen hier so bewegt wie dieser See. Nach einer alten Sage vom „Roten Hahn" soll sich derselbe auf dem Grunde des Sees befinden. Der See ist heute Mittelpunkt eines großen Naturschutzgebietes, dennoch ist die buchtenreiche Wasserfläche ein beliebtes Ziel für Wassersportler, die vor allem von dem kleinen Ort Neuglobsow, einst Sitz zahlreicher Glashütten, an den See kommen.

Amid the extensive woodland to the north of the Rheinsberger lake district lies the attractive Grosse Stechlinsee, a lake that has caught people's imagination like no other. Not only has it inspired many sagas and legends, such as that of the Red Cock that hides in his depths, but the writer Theodor Fontane devoted a whole novel to this lake, now a nature reserve. With its numerous bays it is a favourite with water-sports enthusiasts, most of whom come from the nearby town of Neuglobsow, once renownded for its glass industry.

Le grand lac de Stechlin est situé au cœur de vastes forêts, au nord de la région des lacs de Rheinsberg. Il a toujours enflammé l'imagination des hommes au cours des siècles. Selon une vieille légende, un coq rouge habiterait dans ses profondeurs. Le lac est aujourd'hui le centre d'une grande réserve protégée. Ses nombreuses petites baies sont des buts d'excursion appréciés, notamment des amateurs de sports nautiques, dont un des endroits favoris est Neuglobsow, une petite agglomération qui abritait de nombreuses verreries autrefois.

Kein anderer Ort in Brandenburg erinnert heute noch so an die Zeit, da Friedrich der Große Kronprinz war, wie Schloss Rheinsberg in Rheinsberg auf der Insel im Grienericksee. Hier soll der große König seine glücklichsten Jahre verlebt haben. Als Friedrich König wurde und nach Potsdam umsiedeln musste, vermachte er das von Knobelsdorff gebaute Schloss seinem Bruder, dem Prinzen Heinrich. Im Park nahe dem Schloss befindet sich die Grabstätte des Prinzen. Kurt Tucholsky machte mit seinem „Bilderbuch für Verliebte" Rheinsberg unsterblich.

Nowhere else in Brandenburg carries more memories of the time when Frederick the Great was crown prince as the island palace of Rheinsberg in Rheinsberg on the lake with the name Grienericklake. It is here that the great king is said to have spent his happiest years. When he ascended the throne he had to move to Potsdam and ownership of the palace, which like the grounds was designed by the renowned architect Knobelsdorff, fell to Frederick's brother Prince Heinrich. The prince is buried in a park near the palace.

Le château de Rheinsberg qui se dresse sur l'île du lac de Grienerick, évoque particulièrement la jeunesse de Frédéric le Grand. C'est ici que le célèbre roi aurati passé ses plus belles années, alors qu'il était prince héritier. Il dut aller s'installer à Potsdam après être monté sur le trône et offrit le château bâti par Knobelsdorff à son frère Henri. Le tombeau du prince s'élève dans le parc du château. Kurt Tucholsky a immortalisé Rheinsberg dans son œuvre: «Un livre d'images pour amants».

Bevor Friedrich der Große nach Rheinsberg zog, hatte er als Offizier mit seinem Regiment in Neuruppin gelebt. Was aus dieser Zeit über Friedrich berichtet wird, zeigt den preußischen Kronprinzen durchaus als Lebensgenießer. Unübersehbares Wahrzeichen der Stadt am Ufer des Ruppiner Sees ist die doppeltürmige Klosterkirche St. Trinitatis. Sie überstand als einzige den verheerenden Stadtbrand von 1787. Friedrich, inzwischen längst König von Preußen, ließ die Stadt als Garnisonsstadt wieder aufbauen.

Before Frederick the Great moved to Rheinsberg he lived as a regimental officer in Neuruppin. What we know of him at this time shows the Prussian crown prince as one who enjoyed life to the full. The most striking sight in this town on the banks of Lake Ruppin is the double-spired abbey church of St Trinitatis, the only building to survive the devastating fire of 1787. Long after Frederick had become king he rebuilt Neuruppin as a garrison town at the cost of the state.

Lorsqu'il était officier, Frédéric le Grand partagea la vie de son régiment à Neuruppin avant de vivre à Rheinsberg. Selon les récits, le prince héritier menait ici une vie insouciante à cette époque. L'église de cloître Sainte-Trinité est le symbole de la ville construite sur les bords du lac Ruppin. L'édifice à deux tours fut l'unique édifice de la ville qui survécut à l'effroyable incendie de 1787. Frédéric était roi depuis longtemps lorsqu'il fit reconstruire Neuruppin aux frais de l'Etat en tant que ville de garnison.

Das am Nordufer des Ruppiner Sees gelegene Alt Ruppin bietet ein beschauliches Bild. Durch zahlreiche Gärten wird das Bild des an der Mündung des Rhin in den Ruppiner See gelegenen Städtchens aufgelockert. Alte Fischerkähne unter tiefhängenden Weiden vermitteln das Bild einer anderen Zeit. Alt Ruppin soll einmal eine der größten und schönsten Burgen der Gegend weit und breit gehabt haben. Sie ist leider spurlos verschwunden. Eine schöne Wanderung führt am Ufer des Ruppiner Sees entlang nach Neuruppin.

The town of Alt Ruppin, which stands on the north shore of Lake Ruppin, presents a tranquil picture to the visitor. Countless gardens give an appealing variety to the townscape; old fishing boats under low-hanging willows seem to belong to another world. In Altruppin there is said to have stood one of the largest and most beautiful castles for miles around, but unfortunately no trace of it remains. One of the pleasantest walks here is along the shore of Lake Ruppin from Alt Ruppin to Neuruppin.

Située sur la rive nord du lac Ruppin, à l'embouchure de la rivière Rhin, Alt Ruppin offre un tableau paisible au visiteur. De nombreux jardins ajoutent à l'attrait de la petite ville pittoresque. De vieux bateaux de pêcheurs se berçant sous des saules pleureurs semblent faire partie d'un autre monde. La localité aurait possédé un des plus grands châteaux de la région, mais il n'en est resté aucune trace. Une promenade très agréable est de longer les rives du lac jusqu'à Neuruppin.

Zwei berühmte Männer, deren Spuren der Reisende in Brandenburg immer wieder begegnet, kommen aus Neuruppin. Einmal ist es der später als Baumeister berühmt gewordene - Karl-Friedrich Schinkel, der andere Theodor Fontane. Als Sohn eines Apothekers kam er am 30.12.1819 in der Löwenapotheke in Neuruppin zur Welt. Jahrelang ist Fontane kreuz und quer durch die Mark Brandenburg gewandert und hat in seinen Niederschriften ein einzigartiges Bild des Landes geschaffen.

Visitors to Brandenburg are constantly confronted with the names of two famous men who were born in Neuruppin – the eminent architect Karl-Friedrich Schinkel and the author Theodor Fontane. Fontane, the son of a pharmacist, was born on 30 December 1819 in his father's shop in Neuruppin. For years Fontane travelled the length and breadth of Mark Brandenburg and in his writing left a unique portrait of the area. His statue in Neuruppin gives the impression that he is resting after his exertions.

Neuruppin est la ville natale de deux hommes célèbres dont les traces accompagnent constamment les visiteurs du Brandebourg: l'architecte Karl-Friedrich Schinkel et l'écrivain Theodor Fontane. Fontane, fils d'un apothicaire, naquit le 30.12.1818 dans la «Löwenapotheke» à Neuruppin. Des années durant, il parcourut la Marche de Brandebourg et traça un portrait unique de la région dans ses écrits. Sa statue à Neuruppin donne l'impression que le célèbre écrivain se repose après une longue randonnée.

Am Rande der Kyritz-Ruppiner Heide gelegen ist Wittstock eine typisch märkische Kleinstadt. An den slawischen Ursprung der Stadt erinnert ihr Name. Wittstock kommt aus dem Slawischen und bedeutet „hochgelegener Zusammenfluss". Der Name weist auf die Lage der Stadt am Zusammenfluss von Dosse und Glinze hin. Von der einstigen Burg der Bischöfe von Havelberg blieb der eindrucksvolle Amtsturm erhalten. Wittstock ist eine der wenigen Städte in den Neuen Bundesländern, deren Altstadt noch ganz von einer vollständig erhaltenen Stadtmauer umgeben ist.

Wittstock, situated on the edge of the Kyritz-Ruppiner heath, is a typical town of Mark Brandenburg. Its name is of Slav derivation and means high confluence. This refers to the position of the town at the meeting of two rivers, the Dosse and the Glinze. Of the former castle of the bishops of Havelberg, little remains apart from the impressive gateway named the Amtsturm. Wittstock is one of the few towns in the former East Germany which is still completely surrounded by town walls.

Située à la lisière de la lande Kyritz-Ruppin, Wittstock est une petite ville typique de la Marche de Brandebourg. Son nom est d'origine slave et signifie «confluent haut» en vieux slave. La ville s'étend en effet au confluent des rivières Dosse et Glinze. La tour majestueuse dite Amtsturm est un vestige de l'ancien château des évêques de Babelsberg. Wittstock est une des rares villes de l'ex-Allemagne de l'Est qui a conservé la majeure partie de son enceinte médiévale.

Heiligengraben bei PRITZWALK

In typischer Prignitzlandschaft liegt das ehemalige Zisterzienserinnenkloster Heiligengrabe. Sehenswert ist die architektonische Gestaltung der fast vollständig erhaltenen Anlage, die eine interessante Baugeschichte aufweist. Auf verschiedene Weise ist dieser Ort traditionsreich. Die Zisterzienserinnen pflegten bereits vor über 700 Jahren den gregorianischen Choral. Noch heute erklingt die Orgel von 1725, auf der sogar Johann Sebastian Bach gespielt haben soll. König Friedrich II. erhob das Haus 1740 zum evangelischen Damenstift.

Heiligengrabe near PRITZWALK

The former Cistercian convent of Heiligengrabe (Sacred Tomb) is situated in a landscape characteristic of the Prignitz area. It is worth a visit for the impressive architecture of its extremely well-preserved buildings, which have their own interesting history. This place is rich in traditions in many ways. Over 700 years ago, the Cistercian nuns used Gregorian chant to celebrate Mass. The organ, still in use, dates from 1725 and was supposedly was played by Johann Sebastian Bach. In 1740 King Frederick II converted Heiligengrabe to a Lutheran foundation for women.

Heiligengrabe près du PRITZWALK

L'ancienne abbaye cistercienne de Heiligengrabe s'étend dans un paysage caractéristique de la Prignitz, un terroir situé au nord-ouest du Brandenbourg. La plupart des bâtiments sont admirablement conservés et montrent différents styles architecturaux qui révèlent l'histoire captivante de l'abbaye. Il y a plus de 700 ans, les cisterciennes de Heiligengrabe étaient déjà connues pour leur chorale de chants grégoriens. Aujourd'hui encore, on utilise l'orgue (1725) sur lequel Jean-Sébastien Bach aurait joué. En 1740, le roi Frédéric II de Prusse transforma l'abbaye en une institution pour dames nobles protestantes.

PERLEBERG / Prignitz, Rathaus

Auf einer Insel in der Stepenitz gründeten die Edlen Herren von Putlitz eine Burg, die zum Ausgangspunkt einer Siedlung wurde. Am 29. Oktober 1239 erhielt diese Siedlung Perleberg Stadtrecht. Der Ort wurde als Mittelpunkt der Prignitz eine wichtige Handelsstadt. Das Selbstbewusstsein der Perleberger Bürger spiegelt sich in der Gestalt des Roland, der erstmals 1497 erwähnt wurde. Roland und Rathaus stehen auf dem Großen Markt im Altstadtkern, der heute noch recht malerisch von der Stepenitz in zwei Armen umflossen wird.

PERLEBERG / Prignitz, town hall

Perleberg began as a settlement on an island in the Stepenitz, where a castle had been founded by Lord von Putlitz. On October 29 1239 Perleberg received a charter and soon became a leading trading town of the Prignitz area. The statue of the legendary knight Roland, representing justice and the power of trade, was first recorded in 1497 and stood as a visible emblem of civic pride. He faces the town hall in the old quarter, which is attractively surrounded by the branching river Stepenitz.

PERLEBERG / Prignitz, hôtel de ville

Perleberg fut d'abord une petite communauté qui se développa autour d'un château-fort érigé par un seigneur, von Putlitz, sur une île de la Stepenitz. Perleberg reçut son droit de ville le 29 octobre 1239 et devint une importante ville marchande dans la région de la Prignitz. La statue de Roland, mentionnée pour la première fois en 1497, est un symbole de prospérité et de fierté civique. Elle se dresse devant l'hôtel de ville sur la place du Marché, dans l'ancien quartier qui se niche entre deux bras de la rivière Stepenitz.

Schon in der Jungsteinzeit war das Gebiet um die heutige Stadt Kyritz im Südosten der Prignitz besiedelt. Die Stadt selber geht auf eine slawische Burganlage des frühen Mittelalters zurück. Aus ihr entwickelte sich dank der Lage verschiedener Handelsstraßen im Laufe der Jahrhunderte eine wohlhabende Handelsstadt. Im 19. Jahrhundert verlor Kyritz diese Bedeutung allerdings und sank zu einer Ackerbürgerstadt herab. Trotz zahlreicher Brände im Laufe der Zeit hat Kyritz noch eine Reihe von beachtlichen Fachwerkhäusern.

The area around the town of Kyritz, in the southeast of the district of Prignitz, was inhabited as far back as Neolithic times. Kyritz originated in an early medieval Slav fortress which lay in a strategic position on a number of trade routes, and it soon burgeoned into a prosperous trading town. Its decline came in the 19th century, when it became no more than an agricultural community. Although Kyritz was often ravaged by fire, there are still some very attractive timbered houses in the centre.

La région autour de Kyritz située dans le Sud-Est de la Prignitz, était déjà habitée au néolithique. La ville est née d'un château-fort slave du début du Moyen Age. Au fil des siècles, elle s'est développée en une cité marchande prospère grâce à sa situation au carrefour de routes de commerce. Kyritz perdit toutefois son importance au 19e siècle pour devenir une communauté rurale. Bien que dévastée par de nombreux incendies, elle a conservé quelques maisons à colombages splendides qui bordent les rues du centre-ville.

Im sumpfigen und wasserreichen Land an der Havel, wo auf weite Strecken ein Flussübergang nicht möglich ist, war es für die seit dem 7. Jh. an der Havel siedelnden Slawen naheliegend, an der einzig festen Stelle am Fluss eine Burg zu bauen. Aus ihr entwickelte sich Rathenow. Die heutige Stadt wuchs seit dem 13. Jh. um diese Burganlage. Das wichtigste Bauwerk der Stadt ist die in ihren Anfängen aus dem 13. Jh. stammende und im 16. Jh. in ihre heutige Gestalt gebrachte St.-Marien-Andreaskirche.

In the marshy, waterlogged country of the Havel, a river crossing is impossible for miles. Small wonder. then, that the Slavs, who had inhabited this district since the 7th century, built a fortress to safeguard the one spot which afforded a passage across the river. In the 13th century the settlement round the castle expanded to become the town of Rathenow. Its most interesting building is the 13th century church of St Marien-Andreas, whose present aspect results from 16th century alterations.

La Havel traverse parfois une région si maréca-geuse qu'il est souvent impossible de traverser la rivière pendant des kilomètres. Ce n'est donc pas étonnant que les Slaves qui y habitèrent dès le 7e siècle, édifièrent un château-fort pour sur-veiller l'unique passage du cours d'eau. Rathe-now se développa autour de ce château à partir du 13e siècle. L'église Ste-Marie-et-St-André est la curiosité principale de la localité. Edifié au début du 13e siècle, l'édifice reçut sa forme actuelle au 16e siècle.

Angesichts der Majestät und Weite der Havellandschaft, die aus diesem Bilde spricht, wollen wir zum Abschluss der Farbbild-Reise noch einmal Theodor Fontane zu Wort kommen lassen:

„Die Havel, um es noch einmal zu sagen, ist ein aparter Fluss; man könnte ihn seiner Form nach den norddeutschen oder den Flachland-Neckar nennen. Das Blau ihres „Wassers und ihre Buchten (sie ist tatsächlich eine Aneinanderreihung von Seen) machen sie in ihrer Art zu einem Unikum. Das Stückchen Erde, das sie umspannt, eben unser Havelland, ist … die Stätte ältester Kultur in diesen Landen. Hier entstanden, hart am Ufer des Flusses hin, die alten Bistümer Brandenburg und Havelberg. Und wie die älteste Kultur hier aufgebaut wurde, so auch die neueste. Von Potsdam aus wurde Preußen aufgebaut, von Sanssouci aus durchleuchtet. Die Havel darf sich einreihen in die Zahl deutscher Kulturströme".

Nobody has described the broad, majestic scenery around the river Havel better than the 19th century German travel writer Theodor Fontane, and it is befitting that he should have the last word as a suitable finish to this pictorial excursion through Berlin and Brandenburg:

"The Havel, it must be repeated, is a river of distinction. From its form it could be termed the North German or lowland Neckar. The blue of its waters and its inlets (it is, in fact, a string of lakes) serve to make it unique. The portion of earth that it surrounds, known to us as Havel Land, is the site of the oldest cultures in these regions. It was on the River Havel that the old dioceses of Brandenburg and Havelberg originated, and just as the oldest cultures developed here, so have the newest. Prussia was built around Potsdam and illuminated by Sanssouci. So the Havel may be classed as one of the German streams of culture."

Les paysages de la Havel ont une beauté majestueuse que Theodor Fontane a évoquée. Aussi, notre voyage photographique à travers Berlin et le Brandebourg se terminera par une description du grand écrivain allemand du 19e siècle:

«La Havel, répétons-le, est une rivière élégante. De par sa forme, on pourrait la surnommer le Neckar de l'Allemagne du Nord ou du plat-pays. Le bleu de ses eaux et de ses baies (elle est en réalité une chaîne de lacs) en font une rivière unique. Le terroir qui l'entoure, notre Havelland est … le lieu des plus anciennes cultures de ce pays. C'est ici, sur ses berges que sont nés les vieux évêchés de Brandebourg et de Havelberg. A l'instar des anciennes cultures, de nouvelles cultures se sont également développées ici. Potsdam a engendré la Prusse qu'éclaira Sans-Souci. La Havel fait donc partie des courants culturels allemands.»

© Copyright: by
ZIETHEN-PANORAMA VERLAG
D-53902 Bad Münstereifel · Flurweg 15
Telefon: (0 22 53) 60 47· Fax: (02253) 6756
Email: mail@ziethen-panoramaverlag.de

5. Auflage

Gesamtherstellung:
ZIETHEN-Medien GmbH &Co.KG, Köln
www.ziethen.de

Printed in Germany

Redaktion und Gestaltung: Horst Ziethen
Text: Christoph Wendt
Englische Übersetzung: Gwendolen Webster
Französische Übersetzung: France Varry

ISBN 3-929-932-45-8

BILDNACHWEIS / table of illustrations / table des illustrations

Seiten:

DLB/Deutsche Luftbild	19, 32, 34, 38, 40, 42, 48, 53, 56, 61, 62
Werner Otto	Titel, 8, 14, 16, 17, 18, 35, 36, 46, 47, 50, 52, 60, 66, 70, 71, 72
Fridmar Damm	24, 25, 27, 41, 44
Fotoagentur Helga Lade	13 Rücktitelbild, 15, 33, 39, 55, 67, 69
Bildagentur Huber / R. Schmid	6, 9, 51,
H. P. Merten	26
Jürgens, Ost- u. Europa	5
BA Punctum	7, 64, 65
Bernhard Grimm	59 (3)
Borkowski	59 u.l.
H.J. Wilke	58
ZENIT / Paul Langrock	45
Horst Ziethen	38 o.l., 43
BA Blume	31
Fremdenverkehrsverein e.V. Forst	30(2)
Greiner & Meyer	23, 63
Rainer Weisflog	20, 22, 21, 28, 29, 37
AKG Photo	10, 11
Harald Hirsch	12, 49, 54, 57(2), 68

Karten-Nachweis

Vorsatzseite:	Ausschnitt aus der Berann-Deutschland-Panorama-Karte, erschienen im © Mairs Geographischer Verlag
Historische Nachsatzkarte:	Archiv Ziethen-Panorama-Verlag

NORD-ÖSTLICHES
DEUTSCHLAND
Auflage 1855.